光文社文庫

長編ユーモア・ミステリー

# 黒いペンの悪魔

赤川次郎

光 文 社

『黒いペンの悪魔』

目次

# 1　お見舞い

　桑田旭子は、花園学園の校門を、軽くステップなど踏みながら、出て来た。

　別に踊り出したくなるくらい、テストでいい点をとった、というわけじゃない。今、この花園学園高校の二年生である旭子は、役者志望。

　優れた役者になるためには、歌や踊りの練習も不可欠なのである。——といって、いつもいつも踊って歩いているわけじゃない。大体、そんなことしてたら車にはねられてしまう！

　校門を出た所で、旭子は足を止めた。

「あ！　ずるい！」

　由利子の奴、何か学校の用がある、とか言っちゃって、私に黙って——。

「待て！　由利子！」

　と、まるで狙うかたきでも見付けたような大声を上げながら、旭子が駆けて行くと、今しも大型のベンツに乗ろうとしていた矢吹由利子は振り向いて、

「何だ、旭子。どうしたの？」

「どうしたの、じゃないわ。二人でこっそりうまいことしようったって、そうはいかないからね」

「何の話？」

「とぼけたってだめ！　学校の用事で、どうして香子の家の車に乗ってくわけ？」

すると、車の中から顔を出した色白な美少女、弘野香子、

「あら、旭子さん、よろしかったら、ご一緒に？」

「もちろん！」

と、いうわけで、何だか分からないままに、旭子は香子の家のベンツに乗り込んだのだった。

「――で、どこに行くの？」

と、車が走り出してから、旭子が訊いた。

「呆れた。忘れたの？」

と、由利子が苦笑いして、「今日で美里が一週間休んでるでしょ。クラス委員として、お見舞いに行かなくちゃいけないのよ」

「お見舞い……」

「さようですわ」

と、香子が肯いて、「旭子さんはやはり友だち思いでいらっしゃいますわね」

「え？　――うん、まあね」

と、旭子は少し目をそらして、言ったのだった……。

――矢吹由利子、桑田旭子、弘野香子の三人組は、花園学園の名物トリオ。桁違いの金持ち

で、かつ武道やピアノも素人ばなれした腕前の香子が、何といっても「パトロン的存在」だが、三人組の中心は、少々男の子っぽい由利子。そして旭子は若干「我が道を行く」タイプであるが、前述の如く、役者志望。演技にのめり込むと、何もかも忘れちゃう、というタイプでもある。

「美里はどうして休んでるの？」

と、旭子は言った。

「お母さんの話じゃ、風邪気味らしい、ってことだけど……。でも、丈夫な子だもんね」

草場美里は、クラスの中であまり目立たない存在だ。運動は割合に得意だが、クラスでトップというほどでもない。成績も「中の中」から「中の下」くらい。

特別に絵が上手とか歌が上手いとかいうわけでもない。——要するに目立たない、けれども、くせのない子で、誰からも好かれていた。

めったに病欠などない子で、一週間も休むというのは、たぶん初めてのこと——いや、小学校からずっと一日も休んでいない、と由利子は聞いたことがあった。

その美里が「風邪気味」というだけで一週間休む。——ちょっと引っかかるところである。

「二十分ほどだと思いますわ」

と、香子が言った。「ティータイムにいたしましょうか」

車の中に、ちゃんとティーセットやらデザートの入ったケースがある。香子が蓋を開け、前の座席の背からテーブルを引き出すと、ティーカップを並べた。

「これがあるから、この車、大好きよ」

と、旭子は至って素直な感想を述べたのだった。


「美里。――美里」

と、草場美里の母、マリ子はドアの外から声をかけた。「起きてる？」

少し間があって、

「うん……」

と、低い声で返事があった。

マリ子はそっとドアを開けた。

カーテンを引いたままの美里の部屋は薄暗かった。

「どうなの、具合？」

と、マリ子はベッドの方へ近寄った。

「うん」

返事にならない返事をして、美里は寝返りを打ってしまった。

マリ子は足を止めて、

「お医者さんに行けばいいのに……」

と、言いかけてから、「――今ね、学校の方からお電話があったわ。クラスのお友だちがお見舞いにみえるんですって。もし、お話ぐらいできるのなら、ここへお通ししていい？」

美里は答えなかった。母親の方へ背を向ける格好で、毛布を顔の半ばくらいまでかぶっている。

「美里……。一体どうしたの？　そんな風に――」

マリ子は、言いたい言葉をぐっとのみ込むと、ため息をついて、「じゃ、お友だちがみえたら、声をかけるから。いいわね？　心配して、わざわざ来て下さるんだから、お話ぐらいしなきゃ失礼よ」

美里は何も言わない。マリ子は諦めて、美里の部屋を出た。出ようとした時、美里が何か言ったような気がして振り向いたが、相変わらず毛布の下で、動いてもいない。

空耳だったのだろう、と思って、マリ子はドアを閉めた。

本当に……。

マリ子は、階段を下りながら、思った。

本当に、あの子、どうしてしまったんだろう？　外では「借りて来た猫」だが、家の中では至ってにぎやかな、元気のいい子だった。

でも――何かあったのだ。突然ふさぎ込み、「頭が痛い」と寝込んで一週間……。

医者へ行くのもいやだと言い張り、ただ、ほんのわずかな食事をとるだけ。何を話しかけても、答えないし、しつこく訊けば、プイと立って、ベッドへまた潜り込んでしまう。

マリ子は、ダイニングの椅子に座り込んで、何をする気にもなれず、ただため息ばかりついていた。

美里は一人っ子で、父親——つまりマリ子の夫だった男は、美里が十歳の時、離婚して出て行った。

離婚の時の条件で、月々、かなりの養育費が送られて来るし、マリ子の実家も余裕があるので、この家に親娘二人で住んでいても、充分にやっていけた。マリ子自身も、コンサルタントの仕事をしているが、週に一、二回、家を空けるくらいで、娘を一人にしておくことはめったにない。

美里は、父親が出て行ったショックにも、それほど傷ついた風ではなく、マリ子と二人、楽しくやって来たのだ。——つい、一週間前までは。

何かが娘の身にあったことは、確かだ、とマリ子は思った。何が？

夏休み、美里はクラブのキャンプに行った。女の子ばかりで十日間。大いに楽しんで帰ったようだったが……。

キャンプ先で、何かあったのだろうか？

もしかして……男の子と？

だが、もう今は十月の半ばである。「恋の病い」なら、もっと早く「症状」が出そうなものだ。

いや――本当のところ、マリ子が心配しているのは、もう少し別のことだ。男の子と……。

もし――もしも、だが、キャンプ先で、何かあったとしたら？

まさか！　美里がそんなことをするわけがない！　決して！　決して……。

マリ子は、美里に、正面切って訊いていなかった。――怖かったのだ。

自分の心配が的中していたら、どうしよう、と、それが怖かったのである。

でも、訊かなくてはならない。このままの状況が続くようなら、はっきり訊かなくては……。

車の音に、マリ子はふっと我に返った。家の前に停まったようだ。


「――こちらですわね」

と、表札を見て、香子が言った。

「じゃ、三人でワイワイ押しかけるか」

と、由利子は言った。「病人はにぎやかに見舞うに限る」

「熱が上がんなきゃいいけどね」

と、旭子が言った。「――香子、どうしたの？」

香子は、玄関の手前で足を止め、二階を見上げていた。

「あ、いえ……。今、二階の窓のカーテンが少し開いて」

「カーテン？　こんなに明るい内から？」

　と、由利子が言った。

「美里さんだと思いますわ。こちらを覗いてらして……」

「じゃ、もう起きてんじゃないの」

「だったら、どうしてカーテン引いてあるわけ？」

　香子は首を振って、

「ちょっと気になります」

　と言いつつ、玄関のチャイムを鳴らした。

　ドアがすぐに開く。

「草場美里さんのお母様でいらっしゃいますね。クラスを代表して、お見舞いにうかがいました」

「まあ、ごていねいに」

　美里の母が頭を下げる。「どうぞお上がりになって」

「失礼いたします」

　香子が先頭になると、何となく固苦しくなる。

「──美里さん、どうですか？」

　と、スリッパをはいて、由利子は訊いた。

「まだ何だか寝たきりで……」

と、美里の母は言いにくそうにして、「でも、熱とかは別にないようなんです。あの――お会いできるかどうか、訊いて来ますから、お待ちになって」

トントン、と階段を上がって行く、美里の母を見送って、

「ただの風邪ではないようですわね」

と、香子が言った。

「じゃ、何だっていうの？」

と、旭子が訊く。

「分かりませんが……。精神的な風邪かもしれません」

「精神的くしゃみとか、精神的鼻水とか、あるわけ？」

と、旭子がまぜっ返した時だった。

二階から、

「キャーッ！」

という鋭い叫び声が飛んで来たのだ。

真っ先に階段を駆け上がったのは香子である。もちろん、由利子と旭子もすぐに続いた。

開いたままのドアから中へ駆け込む。

「美里！　美里！」

母親は、叫ぶばかりだ。

美里は、高い本棚のスチールの枠から、首を吊っていたのだ！

香子が、素早く椅子を引いて来ると、

「お姉様！　これに上がって！」

と、大声で言った。「美里さんの体を抱いて持ち上げるんです！」

「うん！」

由利子は椅子の上に立つと、両腕で美里の体をギュッと抱きしめ、力一杯持ち上げた。

「旭子さん！　椅子を押えて！」

「はいよ！」

香子は風のように、部屋を飛び出すと、階段を駆け下りた。いや、途中から身を躍らせて、飛び下りた。

「台所。――台所」

見当をつけて、台所へと飛び込む。

包丁を手に、香子が再び階段を駆け上がって美里の部屋へと飛び込んで来るのに、出てから何秒だったか。

ともかく、次の瞬間には、香子の体は本棚に取りついて、天井近くまでよじ上ると、包丁を振るって、美里が首を吊ったビニール紐をスパッと切ったのだった。

「ワワ……」

美里の体が、ぐたっとのしかかって来て、由利子はよろけた。そして二人の体は床へと転がり落ちた。

「救急車を」

香子は冷静だった。「早く、一一九番を！」

「え、ええ……」

母親はどうしていいか分からない様子で、突っ立っている。

「まだ大丈夫。間に合います。早く一一九番へかけて下さい」

「わ、分かりました」

と、母親はやっと部屋から駆け出して行った。

香子は、美里の首から紐を外(はず)すと、パジャマの胸を開き、耳を押し当てた。

「どう？」

と、したたか腰を打った由利子が顔をしかめつつ、訊く。

「打っています。たった今のことですから、まだ……。意識は失ってますが」

首の周りに、赤く紐の痕がついているのが痛々しかった。

「——一体、何なのかしら？」

と、旭子が言った。

「旭子。もう椅子、押えてなくていいわよ」

「あ、そうか。つい、力が入って」

旭子が椅子を机の方へ戻して、「——ね、見て」

と、一通の封筒を取り上げた。

「手紙？——遺書か何か？」

「そうじゃないみたい。宛名が〈草場美里様〉になってるよ」

「勝手に中を見ちゃだめよ」

「自分で出しといて、何言ってんの」

「クラス委員として……」

由利子は、手紙を取り出して読み始めた。旭子が封筒の裏を見ると、〈滝田雄策〉と、お世辞にも上手いとはいいかねる字で書いてある。

「——どんな内容？」

と、訊いた旭子が目を丸くした。

読んでいる由利子の顔が、見る見る真っ赤になり、目はつり上がり、口が裂けて牙をむき出し——まではしなかったが、怒りで体を震わせていたのである。

「この男、ぶっ殺してやる！」

と、由利子は宣言したのだった……。

## 2　黒いインク

「おい、滝田」

と、一人が言った。「付き合わないか？」

「やめとくよ」

と答えたのは、ちょっと頼りなげな大学生で、小ぎれいな格好ではあるが、見たところは地味だった。

「お前、このところ付き合いが悪いな」

「悪いな」

と、滝田という若者は首を振って、「ちょっと忙しいんだ」

「女に夢中なんだろ」

と、仲間の他の一人がからかう。「放っとけ、放っとけ。ともかく行こうぜ」

四人の仲間が別れて行くと、滝田は一人になって、少し足を早めた。

大分薄暗くなった大学近くの坂道。——並木道は、恋人同士で歩くにはふさわしいかもしれないが、一人では少々絵にならない。

滝田は、坂を下っていたので、少し勢いがついて、坂の途中では、ほとんど小走りになっていた。

すると——木立ちの陰から、一人の少女がスッと現われ、滝田の前に立ったのである。

何だ？——自分に用があるわけじゃあるまい、と思った滝田は、その少女のわきを通り抜けようとして——。

何がどうなったのか、さっぱり分からなかった。アッと思う間もなく、体が一回転して、気が付いた時には、路上に引っくり返っていたのである。

「あれ？——どうなってんだ？」

滝田は起き上がろうとして、腰を押えて呻いた。どうやら、投げられて腰を打ったのだ、ということに、やっと気が付いた。

「何だ、君たち？」

君たちと言ったのは、いつの間にやら、三人の少女が滝田を取り囲むようにして、立っていたからだ。

「滝田雄策さんでいらっしゃいますね」

と、滝田のことを放り投げた少女が、馬鹿ていねいな口調で言った。

「そうだよ……」

「草場美里さんを知ってるわね」

と、他の一人が訊く。

「美里？　もちろん知ってるけど……」

滝田は、やっとこ立ち上がって、「君たちは？」

「美里のクラスメイト。かつ、女を弄ぶ男を許せない女なの」

「何の話だい？」

「とぼけたってだめ」

と、その少女は、腕まくりを始めた。「私と勝負しましょ」

「勝負？」

「殴り合い。こう見えても、パンチの威力は自信があるんだからね」

「おい、待ってくれよ！」

滝田は目を丸くした。「女の子と殴り合い？」

「怖い？」

「怖い、って……。理由もなしに？」

「理由は充分」

と、もう一人の少女が言った。「美里をあんなひどい目にあわせた奴は、これぐらいの報復を受けても当然よ」

「ひどい目に？　それは——」

「さ、構えて」

「ね、君たち、何か誤解してるんじゃないのか？」

「勝負開始！」

と言うなり、ストレート一発、滝田の顎に決まって、

「ワッ！」

と一声、滝田は引っくり返ってしまった。

「何だ、弱いの」

と、手を振っているのは――もちろん由利子である。

「二発目はどこにする？」

と、旭子が面白がっている。

「一応、事情を説明してからの方がよろしいと存じます」

と、香子が言って、「滝田さん。――大丈夫ですか？」

「う、うん……」

滝田は、よろけながら立ち上がって、「しかし、強いね、君たち！」

「あんたが弱すぎんのよ、この女たらし！」

と、由利子がかみつきそうな顔で言った。

「僕が女たらし？」

「そう言われても仕方ないかと存じます」

と、香子が言った。「美里さんは自殺されかけたんですよ」

滝田が、アングリと口を開けて、香子を見つめている。——これが演技なら名優だ！

「自殺って……どうしたんだ？　助かったのか？」

と、由利子が滝田をにらみつける。

「残念ながら助かったわよ。この人でなし」

「助かった……。そうか」

滝田は大きく息をついて、「でも、どうして自殺なんか……」

「しらじらしい」

と、由利子は苦笑いして、「あんな手紙をもらったら、自殺したって当たり前でしょ」

「僕の手紙？——そんなひどいことなんて、書いてないぞ」

と、滝田は言い返した。

「あらそう。じゃ、これぐらいの手紙は、ごく当たり前のことなのね」

由利子が、あの手紙を取り出して、「これ、あんたが出したって認めるわね」

滝田は、その手紙を受け取ると、

「確かに、僕の字だけど……」

と、封筒の字を見て言った。

「見なさい！　何を書いたか忘れた、とでも言うつもり？」

滝田は中の手紙を取り出し、目を通し始めたが、

「これは……ひどい！　こんな手紙、僕は出してない！」

「だって、今、あんた自分の字だって言ったじゃないの」

「いや……。確かに僕の字みたいだ。でも、僕はこんなもの書かない！」

「ごまかそうたって、そうはいかないわ」

と、また由利子が拳を固める。

「待ってくれよ！」

と、滝田が必死に弁明する。「僕は黒インクなんか使わない！」

「何ですって？」

「この手紙……黒インクだろ？　でも、僕の万年筆はブルーだよ。黒インクなんか、使わない」

由利子たちが顔を見合わせる。

今の、滝田の弁明は、いかにも本当らしく、説得力があったのである。

「お姉様」

と、香子が言った。「この方とゆっくり話し合ってみる必要があると存じますわ」

草場美里が入院している病室のドアが開いて、

「やあ、美里、どう?」

と、入って来たのは、由利子である。

「由利子……。来てくれたの」

美里は、かすれた声で言った。

「——大分(だいぶ)、顔色が戻ったね」

と、ベッドのそばへ来て、「お母さんは?」

「買い物に。——ごめんなさいね、面倒かけちゃって」

と、美里は言った。

「全くよ。ただ見舞いに行っただけなのに、美里を抱っこすることになるなんて思わなかったわ」

「重かった?」

「凄く重かった」

と、由利子が強調すると、美里は、ちょっと笑った。

「何日か、ろくに食べてなかったんだけど、結構やせないもんね」

「今度から、ダイエットはロープ抜きでやってよね」

と、由利子は言って、「ところでね、あの滝田って人の手紙だけど」

「読んだのね……。分かったでしょ、私の馬鹿さ加減が」

「恋すりゃ、たいてい誰でも馬鹿になるんじゃない？」

と、由利子は言った。

「だけど……。信じてたの。だから、何もかもあの人に任せたのに……」

美里の目に涙が浮かぶ。

そりゃ確かに、熱烈に恋して、美里は滝田に誘われるままに、彼の部屋へ泊まってしまったのだから——。その滝田から、〈君はただの遊びの相手だったのさ〉〈もう君には飽きたし、顔も見たくない〉なんて手紙が来たら、自殺したくなるのも当然というものだ。

「でもね、美里。一つニュースがあるの」

「ニュース？」

「あの手紙はね、黒インクで書いてあったでしょ」

由利子の言葉に、美里はちょっと眉を寄せて、

「そう……。そうだったかしら」

「そうなのよ。他の手紙も、美里の引出しで見付けたけど、それはブルーのインク。あの手紙だけがブラックなの。それでね、おかしいっていうんで、知り合いの人を通じて、筆跡の鑑定をしてもらったのよ」

美里は、由利子を見た。由利子は肯いて、

「そっくりに似せてあるけど、あの手紙は別の人間が書いてたの」

美里は愕然としている。

「でもね」

と、由利子は続けて、「そう疑われたのは、やはり滝田って奴が悪い、っていうんで、少しこらしめてやったからね」

「こらしめて、って……。何したの？　あの人に――」

と、美里が体を起こす。

「あら、ずいぶん元気になったのねえ」

と、由利子は冷やかして、「じゃ、どうぞ！」

と、呼んだ。

病室のドアが開いて、入って来たのは、滝田である。

美里が、言葉もなく、見つめている。

「何てことするんだよ」

と、滝田は美里のそばへやって来て、「僕があんなひどいこと書くわけないだろ」

「だって……」

「そう思ったら、僕のこと、引っかいたり、けとばしたりしに来りゃいいじゃないか。おとなしく死のうなんて、君らしくない」

「私、いつも暴力なんかふるってない！」

と、美里が嬉しそうにむくれた……。

「ああ、熱い熱い」

と、病室を出て、由利子は大げさに息をついた。

「うまく行ったね」

と、旭子が肯いて、「じゃ、後は二人にしといた方が」

「そういたしましょう」

と、香子が歩きかけて、「あ、美里さんのお母様」

「あら、来て下さったの」

草場マリ子が、ケーキの箱を下げて、やって来た。「よかったら、中でケーキでも」

「いえ……。もう失礼するところでした」

と、由利子が辞退した。

「まあ、そう？　じゃ、また来てやって下さいね」

「はい」

三人は、歩き出して、

「中で二人——」

「たぶん、すっかり仲直りしてるんじゃない？」

と、由利子が言うと、病室に入ったマリ子が、

「まあ!」

と、叫ぶのが聞こえた。

「あれ、きっとケーキを落っことしてるね」

「もったいなや」

と、旭子がアーメンと十字を切る。

「——それより、あの手紙の問題が、片付いておりません」

と、香子が言った。

「そうね。別の誰かだとしても……」

「あの偽筆の腕は相当なものですわ。それに、あの二人のことを、なぜ知っていたのか……」

「それに、どうしてあんな手紙を書いたのかね」

と、由利子も、真顔になって、「いやがらせ? それにしちゃ悪質よ」

「悪質です」

と、香子は、何か考え込みながら、「あの黒インクの文字の奥に、ひどい悪意を感じませんでした?」

「誰がやったか、調べる必要があるね」

「もちろんですわ。でも——」

と、香子は言葉を切った。

三人は病院を出た。香子の家のベンツが、待っている。

「もう夕方ですわ」

と、香子は空を見上げて、「少し腹ごしらえでも?」

と、言った。

「賛成!」

由利子と旭子が同時に叫ぶ。——もちろん、この事件がまだ始まったばかりだということを、三人とも、知らなかったのである。

## 3 講演会

「ウアー」

と、旭子は大欠伸(あくび)をした。

「何よ、旭子」

と、由利子は、たしなめるように言って、「欠伸するにしても、もうちょっとしとやかに……。アーア」

欠伸というものは伝染するのである。

「秋の夜長、どうしても夜ふかししてしまいますわね」

と、香子が言って、ため息をつく。

「香子は欠伸をしないの？」

「今、いたしました」

「お嬢様」ともなると、欠伸も「ため息」ですんでしまうのかしら、と由利子は思った。

「かなわないよねえ。ただでさえ眠い時に、退屈な話なんか聞かされたら……」

「子守り歌と思えば、腹も立たない」

と、由利子はなだめた。

今日は、三人並んで、花園学園の講堂に座っている。もちろん三人だけじゃなくて、全部の生徒が揃っているのである。

午前中の一時間、「特別講演」を聞くことになっていた。——講師は、この学園の一年生、田原貴子の母親。

田原寿江は、〈教育評論家〉として、割合知られた存在である。しかし、由利子たちの世代の子たちとは、あまり縁がない。

ただ、田原寿江はなかなかの美人で、華やかな雰囲気の持ち主なので、TVにもよく顔を出していた。〈教育問題〉の絡む事件が起きたりすると、よく午後のワイドショーといった類いの番組に引っ張り出される。

「だけどさ」

と、旭子が言った。「田原寿江って、TVじゃいつも、『一日に一回は家族全部で食卓を囲まなくてはいけません』とか言っといて、自分はひと月の内、一週間も家にいないんだって。講演旅行に駆け回ってて」

「それはやむを得ないことです」

と、香子が言った。「突撃ラッパは、自分で突撃して行くわけではありません。鳴るだけですわ」

「そういう見方もあるか」

　と、由利子は笑って、「でも、あの子、バレー部の後輩だけど、素直でいい子よ」

「あそこに座ってる子でしょ」

　と、旭子が指さす。

「そうそう。ヘアバンドした……。可愛いでしょ」

「私は由利子みたいに美少女趣味じゃない」

「私がいっ――」

「しっ」

　と、香子がたしなめた。「始まりますわ」

　ワーワーガヤガヤ騒がしかった講堂の中が、やっと静かになる。教務主任の駒井先生が登壇したのである。

「――みなさん、おはよう」

　と、いかめしい顔に似合わぬ可愛い声を出す。

　一見、古武士の風格を持った男の先生だが、その実、大変に優しくて、どっちかというと、学園長よりも人気がある。

「今日は本校のご父兄でもいらっしゃる田原寿江先生に、大変貴重なお時間を割いていただいて、お話ししていただくことになりました。みなさんもよくご存知のように……」

　と、手もとのメモに目をやり、田原寿江の略歴紹介を始める。

由利子は、ステージの端の方に置かれた椅子に、上品な紫のスーツを着た女性が腰をおろしているのに気付いた。

由利子の席からは遠くて顔も分からないのだが、まああれが間違いなく田原寿江だろう。もっとも、由利子は午後のワイドショーなんて見てないのだから、そんなによく顔を知ってるわけじゃないのである。

チラッと田原貴子の方へ目をやると、やはり母親のことを言われるのは照れくさいのだろう、隣りの子とヒソヒソ話しているが、それでも内心ドキドキしているのか、頰が赤く染まっている。

貴子は一人っ子だが、あまりわがままなところもなく、クラブでも楽しくやっている。運動神経はいい方とも言えないが、真面目に根気よくやるタイプ。

父親のことは、あまり由利子も聞いたことがない。確か、普通のサラリーマンだと言っていたようでもあるが……。

「――では、田原寿江先生をお迎えしましょう」

と、駒井先生がマイクの前から離れて拍手をする。

ワーッと拍手が起こって、あの紫色のスーツの女性が、マイクを置いた台の前へ進み出て来た。もちろん、本業がしゃべることなのだから、いかにも慣れた感じで、歩き方からしてスマート。背筋がピッと伸びて、小柄なのにずいぶん大きく見える。

マイクに向かい、両手を台の上に軽くかけて、一礼すると、講堂の中を見回した。——娘の姿を捜しているのかしら、と由利子は思った。

「みなさん、おはようございます。田原寿江といいます。みなさんにはあんまりなじみがないかもしれませんね。でも、みなさんのお母様方は、私のことをご存知かもしれません。でもTVだと、結構若く映りますから、こんなおばさんだとは思ってらっしゃらないかもしれませんね」

生徒たちがドッと笑った。

さすがによく通る声だし、話し方もうまいものだ。当たり前かもしれないけど、やっぱり由利子は感心した。

田原寿江は、登校拒否の子供の問題を、具体的な例をあげて説明することから始めて、巧みに話を進めて行く。いつも、校長先生の話などでは、眠くなくても眠ってしまう（？）旭子なども、何となく目を開けて話を聞いていた。

十五分ほど話が進んだところで、

「では、ここで何枚かの絵をお見せしましょうね」

と、田原寿江は言った。「どれも、心の病気にかかった子供たちの絵です。こういう絵から、とても沢山のことが分かるので……。スライドを映して下さい」

講堂の奥の操作室から、四角い光が、田原寿江の後ろの白い壁に映った。まだ絵は出ていない。

「少し、暗くしていただけますか」

と、田原寿江が言うと、講堂全体が少し薄暗くなり、演壇の辺りはずっと照明を落として真っ暗になった。

「あの――ご親切はありがたいんですけど、こんなに暗くしていただかなくても……。私、暗いと怖くて逃げ出したくなるので」

田原寿江の言葉に、みんなが一斉に笑った。少し明かりが点いて、ほの暗い、という程度になった。

「結構です。これぐらいの明るさって、いいですよねえ。人間って、何でも見えるようにカーッと明るくされても、逆に、真っ暗にされても、不安なんですね。特に、しわの気になる年齢になると」

また、みんなが大笑いする。田原寿江も自分で笑って、

「じゃ、初めの絵を。――初めは、小学校の三年生からずっと学校へ行かずに――」

言葉の方が勝手に出て来ていたようだった。しかし、さすがに唐突にそれは途切れてしまう。

スライドで映し出されたのは、どう見ても子供の描いた絵じゃなかった。

写真だった。それも――田原寿江自身と、若い男の。

戸惑いが、講堂の中を駆けめぐった。

その写真の二人は、表を歩いている様子だったが、ぴったりと寄り添って、田原寿江は男の腕にしっかりすがりつくようにしていた。それはどう見ても、「恋人同士」という様子だったのだ。

呆然としていた田原寿江が、やっと我に返った様子で、

「あの——次の絵を。次を出して下さい」

と、言ったが、声が上ずり、動揺しているのが分かった。

次のスライドが映し出された。

講堂中がどよめいた。前と同じ場所の写真で、田原寿江とその若い男は、しっかり抱き合ってキスしている場面だったからだ。

「何、これ？」

と、由利子が啞然としていると、香子がパッと立ち上がって、階段状の通路へ出ると、凄いスピードで駆け上がって行く。

「香子！」

由利子もあわてて後を追った。

講堂内は騒然としている。

「消して！　スライドを消して下さい！」

田原寿江の叫び声は、生徒たちのどよめきの中に埋れてしまった。

旭子は、田原貴子が、真っ青になって立ち上がり、他の子たちを突き飛ばすようにして講堂から走り出るのを見た。

パッとスライドの写真が消え、場内が明るくなる。

「みなさん、お静かに」

と、講堂内に響き渡ったのは、香子の声だった。

みんなが、まだザワザワしていると、

「うるさい！　静かにしろ！」

と、凄い声がして、ワーンと反響した。

みんな、一気に静かになってしまった。

もちろん、由利子がマイクに口を近付けて、思いっ切り怒鳴ったのである。と、今度は香子に代わって、

「では、みなさん、静かに講堂を出て、各教室へと戻りましょう」

と、穏やかな調子で言った。

何となく狐につままれたよう、とはこのことで、みんなゾロゾロと講堂を出て行く。

やがて講堂は空っぽになり、壇上に呆然と立ちつくしているのは、もちろん田原寿江、そして駒井先生が、どうしていいものやら分からない様子で、空になった講堂の中を、眺め回している。

やがて、コツコツと足音が響いて、香子と由利子が通路をやって来た。

「君たち……」

「駒井先生、申し訳ありません。差し出がましいことをしまして」

と、香子が言った。「でも、何とかして早く止めなくては、と思ったものですから」

「いや……。そうか。よくやってくれた」

と、駒井先生も、やっと事態をのみ込んだ様子。

「お姉様、そのスライドのケースを」

「あいよ」

由利子が両手でかかえていた、プラスチックのケースを香子へ渡す。香子は壇上へ上がって、

「これは、確かに、お持ちになったスライドですか?」

と、田原寿江に訊いた。

「え、ええ……。そうだと思います」

田原寿江は首を振って、「まだ信じられないわ……。どうしてあんなことが……」

「スライドを見て下さい」

田原寿江が、一枚ずつスライドを抜き出して、光の方に透かして見る。——由利子たちの目にも、それがさっき映し出された写真に違いない、と分かった。

「何てことかしら!」

パラパラとスライドが落ちる。——香子は拾い上げて、

「映した係の先生にうかがいましたが、これは、お持ちになった時のまま、手をつけていない、ということでした」

「じゃ、初めから、入れかえてあったのかしら?」

と、由利子が言った。

「でも、映写室にずっと人がいたわけではありません。スライドを置いたまま、空になっていたこともあったそうですから、この学校内ですりかえることも、できたはずです」

駒井先生はハンカチを出して、額の汗を拭った。

「やれやれ……。とんでもないことになってしまった。——申し訳ありませんな、田原先生」

「いえ……」

田原寿江は、ようやく立ち直った様子で、「お恥ずかしい限りです。——これは天罰かもしれません」

と、言った。

「写真にうつっていたのは、私のマネージメントをしてくれている青年です。私の講演旅行にも、いつも同行して、すべてを手配してくれます……。このところ、夫とうまく行っていなかったこともあり、つい……」

田原寿江の声は消え入りそうになった。

「分かりました」

駒井先生は肯いて、「それは、プライベートな問題ですよ」

「そうです」

と、香子が、きっぱりした口調で言った。「天罰などではありません。これは誰か、人間が悪意でしたことです。その人間を突き止める必要があると存じます」

「ありがとう……。でも……」

「そうしなくては、貴子さんも救われないと思います」

貴子の名を聞いて、田原寿江はハッとした。

「そうだわ！　貴子——貴子は？」

「教室へ戻ったのかしら」

と、由利子が言うと、

「そうではないと思います。クラスの子たちと、顔を合わせたくないでしょうから」

そこへ、講堂の扉の一つが開いて、旭子が入って来た。

「由利子！」

「旭子！　どこへ行ってたの？」

「学校から出て行こうとしてたから、連れて来たよ」

旭子が腕をつかんで引っ張って来たのは、田原貴子だった……。

「上出来」

と、由利子が肯いた。

「でしょ？」

旭子が、貴子の背中を押すと、貴子はちょっとよろけながら、前の方へ歩いて来た。

「貴子――」

「お母さん……」

田原寿江が、壇から飛び下りて、

「ごめんなさい。――とんでもないことになってしまって」

と、頭を垂れた。

「あの人……飯田さんね」

「ええ」

と、寿江が肯く。

「やっぱり本当だったのね」

と、貴子が、呟くように言った。

由利子たちは、素早く目を見交わしたのである。

## 4 粉と水

「矢吹先輩」

と、田原貴子が、バレー部の部室のドアを開けて、呼んだ。「矢吹先輩」

早かったかな。

貴子は、埃(ほこり)だらけの椅子を引っ張って来て、腰をおろし、矢吹由利子が来るのを、待つことにした。

ポケットには、一通の手紙が入っている。貴子は、そっとその手紙を取り出して、開いた。

もちろん、もう何度も読んでいて、中の文章は憶えてしまっているが、それでも、見直してしまうのだ。

〈貴子さん。

こんな突然の手紙で、びっくりするでしょうが、許して下さい。どうしても、気持ちを隠しておけなくなって。

あなたのお母さんと、僕とは、この一年の間、恋人同士の仲でした。もちろん、あなたのお父さんにも、あなたにもすまないと思いながら、続けて来てしまったんです。

お母さんは忙しくて、旅も多く、寂しいのです。どうかお母さんを責めないで下さい。悪い

のは僕の方なのですから……。〉

飯田の字だ。——母のマネージャーをしている、飯田春男の字である。

年中家にも来ているから、当然、貴子も飯田をよく知っている。少し右上がりの、くせのある字も、見憶えていた。

しかし……それでも、この手紙を一週間ほど前にもらった時はショックだった。

母と飯田が……。言われてみれば、ありふれたことなのかもしれないが、貴子は考えてみたこともなかった。

しかし、貴子の受けたショックは、それだけではなかった。手紙には、続きがあったのである。

〈なぜ、こんなことを、貴子さんに打ち明けるのか、お話ししなくてはなりません。隠しておいた方が、良かったのかもしれないのですが。

しかし、あなたには隠しておけなかったのです。僕は——どうか怒らないで下さい。そして笑わないで下さい——あなたのことが好きだからです。〉

あなたのことが……好き。

この文章を、貴子は何度、読み返したことだろう。そして更に手紙は続く。

〈怒らないでくれ、というのは虫のいい言い方ですね。あなたのお母さんと恋人でいながら、あなたを恋しているなんて、こんな男は不潔そのものに見えるでしょう。

正直に言って、僕はあなたのお母さんを、大変すてきな女性だと思っています。けれども、僕はある日、気付いたのです。僕が心ひかれているのは、「あなたのお母さん」であって、田原寿江という女性、その人ではないのだと……。

どうか、許して下さい。あなたへの想いは変わりません。けれども、あなたのお母さんやお父さんのいる前では、僕はこれまで通りにふるまわなくてはならないのです……。〉

心と、胸がときめく。熱くなる。

貴子は、息をついて、これでいいのかしら、と思ってみる。

この手紙を、人に見せたりして、いいものだろうか?

母には見せていない。——見せられはしない。

母が、こんなことを知ったら、どう思うか。——貴子は、腕時計を見た。

約束の時間を、十分過ぎている。

あの、スキャンダルになった講堂の日から、三日たっていた。

父は、何も知らない。いや、そのはずだ。

もしかすると、お節介な父兄から、連絡が行くかもしれなかったけれど、今のところは、ともかく父の様子はいつもと少しの変わりもない。

母が、この三日間、いくつかの仕事をキャンセルして、家にいるようにしているのを、貴子も分かっていた。

母は怯えているのだ。学校でのスキャンダルが、父の耳に入ることを恐れている。

何しろ、生徒全部が知っているのだから、いつか耳に入らずにはいないだろう。そう分かっていても、その日を一日でも先へのばしたいと思っている。

そんな母の気持ちを、貴子も察していた。

この手紙のことを、貴子は矢吹由利子へ打ち明け、今日、持って来たのだ。

放課後、バレー部の部室で、と言われて、やって来たのだが……。

もちろん、待っている他はない。

すると——足音がドアの外で聞こえた。先輩かな?

ドアが開いて——入って来た人間を確かめるより早く、貴子の目の前が真っ白になった。


「全く、ぐずなんだから、あの先生!」

と、由利子はブツクサ言いつつ、廊下を急いでいた。

田原貴子と、部室で待ち合わせている。急がなくちゃ。

由利子が足を早めて、廊下の角を曲がろうとした時、誰かと鉢合わせしそうになった。

「ワッ!」

どっちも声を上げてしまう。

「——何だ、矢吹さん」

「あ、先輩」

由利子はあわてて、「すみません」

と、謝った。

「いいのよ、こっちも急いでたから」

三年生で、バレー部の先輩、向井千恵子である。

十月ともなると、三年生は、もうクラブとしての活動を終わっているので、このところあまり顔を合わせていないが、部長で、頼りになる先輩だった。

「これから部室に行くの？」

と、向井千恵子が訊いた。

「ええ、ちょっと用があって」

「そう」

向井千恵子は、笑顔になって、「あんな汚ない部屋が、何だか今じゃ懐かしいわね」

と、言った。

大柄で、がっしりした体つき。決して動きは早くないのだが、ともかく、人をまとめて面倒をみるのが得意なのである。

「少し掃除しなきゃ、と思ってるんですけど――」

と、いくらかは、由利子も気がとがめる。

「あれだからいいんじゃない？」

と、向井千恵子は言った。「次の試合からは二年生がメインね。矢吹さんが主力なんだから、しっかりやってね」

「はあい」

由利子は少し照れて、「失礼します」

と一礼して、先を急いだ。

もちろん、部室まで、そう遠いわけではないので、数分でやって来たのだが……。

ドアが開いていて、何やら、白い粉が、その辺にまき散らされたようになっている。

何だろう？——由利子が、

「田原さん、いる？」

と、声をかけると、

「先輩……」

と、呼びかける声。「助けて……」

「田原さん！」

あわてて駆け込むと、田原貴子が、床に倒れて、やっと起き上がったところ。頭から、粉をかぶって真っ白になっている。

「どうしたの？」

と、抱き起こしてやると、

「誰かが……。いきなり粉を……」

「目に入った？」

「ええ……。見えないんです」

「つかまって！　大丈夫よ。洗えばすぐに落ちるわ。——こっち！　気を付けて」

蛇口の所まで連れて行って、水を出し、目を洗ってやると、

「——痛い！　——でも、見えるわ」

と、声を上げる。

「しっかりして。シャワールームへ行って、シャワー浴びた方がいいんじゃない？」

「ええ」

ともかく、顔だけは元の通りになって、ホッと息をつくと、「手紙、ありますか？」

「手紙？　今日持って来ると言ってたやつ？」

「ええ。その辺に落ちてるんじゃないかしら」

しかし、どこにも手紙は見えない。

「その誰かが持って行ったんじゃないの？」

と、由利子は言った。

「そうですね……。ひどいわ」

と、貴子はしょげている。

「失礼いたします」

と、香子が顔を出した。「床でホットケーキでも作っておられたんですの？」

「本当にユニークなこと言うわね」

と、由利子が笑って、「田原さん、襲われたのよ」

「まあ」

と、香子が目を見開いて、「その恐怖で、髪が真っ白に？」

「まさか、これは白い粉のせい」

「それなら結構ですけど」

と、香子は安心した様子。「でも——」

「手紙をかっぱらって行ったんだって」

「その靴をはいた人が、ですね」

「靴？」

「粉の上の足跡です」

そう言われて、由利子も初めて気が付いた。

床に散った粉に、靴の跡がある。——由利子のものとも、田原貴子のものとも、違っていた。

「私も違います」

と、香子は言った。「してみると、当然これは——」

「犯人のね」

由利子は、かがみ込んで、「でも、同じ上ばきはいている子は沢山いるわ」

「でも、これは新品ではございません」

と、香子は指さして、「中央の辺りがすり減っておりますし、ここに一箇所、切れ目も入っています」

「なるほどね」

「写真をとっておくのがよろしいかと存じますが」

「カメラなんてないわ」

「職員室へ行って、借りて参りますわ」

香子が立ち去ると、田原貴子はシャワーを浴びに出て行った。

由利子は部屋に一人で残っていたが……。

考えてみれば、妙なことである。

田原貴子の持っていた手紙を奪うために、やったとしたら、どうしてその犯人は、貴子が手紙を持って来たことを、知っていたのだろう?

少なくとも由利子は香子、旭子の二人にしか話していない。田原貴子は? ——戻ったら、訊いてみよう。

その手紙が黒インクで書かれていた、ということが、由利子たちの注意を引いたのである。

あの、草場美里を自殺未遂にまで追いやった、謎の手紙も、黒インクで書かれていた。

今度の場合とは、大分事情も違うが、もし同じ人間の偽手紙だったら……。

これは由利子の直感ではあったが、当たってみる値打ちはあった。そして、その手紙が奪われたこと自体、その可能性を大きくしているのではないか、と由利子には思えた。

ゴトッと音がした。

「香子？　早いわね」

と、ドアの方を見ると――。

香子は、何とかフィルムを都合して来ると、旧式な重いカメラを手に、バレー部の部室へと急いで戻って来た。

「お姉様――」

と、言いかけて、香子も目をパチクリさせた。

由利子が、全身ずぶ濡れで、突っ立っている。

「いきなり、誰かがバケツの水をかけてったのよ！」

と、由利子は言った。

水は、もちろん床の上の粉を洗い流し、足跡を消してしまっていた。

「お姉様……」

「何？」

「ご同情申し上げます」

と、香子が頭を下げたのだった……。

# 5　朝の検討会

「おはようございます！」

　日曜日の朝。——ゆっくり眠り込んでいる家も少なくない午前八時という時間にしては、少々元気の良すぎる声だったかもしれない。

　しかし、マネージャーというものは、常に「引き立て役」である。主役を「引き立たせる」という意味でもそうだし、主役が疲れたり沈んだりしている時に、その気分を、

「引き立てる」

　というのも、仕事の内に入っているのである。

「——あ、飯田さん」

　と、出て来たのは娘の田原貴子である。

「やあ、おはようございます」

　と、飯田は言った。「お母さんは、どうかな？」

「うん……。起きてますけど」

「じゃ、出られるかな、今日は」

　貴子は、何となく飯田の目をさけている感じで、

「訊いて来ます」

と、さっさと引っ込んでしまった。

飯田春男は、フッと息をついて、玄関に立っていた。車はガソリン満タンにして、表に停めてある。

今日の講演先まで、車で一時間。九時にはどうしても出たい。

腕組みして待っていると、田原寿江がやって来た。

「やあ、おはようございます」

と、飯田は明るく声をかけて、「そろそろ出ましょうよ。休みも、取りすぎると、体がなまっちゃいますよ」

「飯田さん、悪いけど……」

と、田原寿江が言いかける。

「だめだめ、元気出さなきゃ。いいお天気ですよ。ドライブしたら、疲れなんか、いっぺんで吹っ飛んじまいますよ。さ、早く仕度して！」

と、飯田がまくし立てる。

「でも……」

「でも、じゃない！　これ以上、外へ出ないなんて言ったら、僕の方がデモをしちゃいますからね！」

「やってみろ」

「――え？」

ヌッと出て来たのは、寿江の夫、田原悟志である。

「あ、どうも、田原さん、お早いですね、日曜日なのに。ゴルフですか？」

「上がれ」

と、田原悟志はボソッと言った。

「はあ。しかし、急がないと、講演の約束に――」

「いいから、上がれ！」

田原が怒鳴った。寿江が目を伏せる。

飯田がいくら鈍くても、この状況は分かった。――そうだったのか。

「では……失礼します」

飯田は咳払いして、靴を脱ぎ、上がり込んだ。

居間へ入ると、ソファに身を固くして座った。

――田原悟志、寿江、そしてお茶をいれて来た貴子。

みんな、バラバラに離れて座っている。

「――話は分かってるんだろう」

と、田原悟志は言った。

苦虫をかみ潰したような顔である。

「あなた――」

と、寿江が言った。「私がいけなかったのよ」

「お前は黙ってろ」

と、田原はにらんだ。「この男に訊いてるんだ。人の女房を寝とるのもマネージャーの仕事の内なのか、とな」

「弁解はいたしません」

と、飯田は言った。「悪いのは僕です」

「当たり前だ」

「殴るなり殺すなりして下さい」

と、飯田は続けて、「でも、今日の講演が終わってからにして下さい」

「何だと？」

「奥さんは、仕事をしていてこそ美しいんです。――見て下さい。この何日か仕事をしていないだけで、こんなに老け込んでしまった」

「大きなお世話だ」

「いいえ！　僕は奥さんのために言ってるんです」

と、飯田はひるむ様子もない。「今日の講演先は、施設です。――両親に捨てられたり、離婚した親が面倒をみきれなくて、そこへ連れて来た子供たちです。お金にはなりません。わずかばかりの車代で、たぶん足が出るでしょう。しかし、今日の講演はキャンセルしてほしくないんです」

「そんなこと、知ったことか」

と、田原がムッとした様子で言った。

「お気持ちは分かります。でも、これは僕のためじゃないんです。——子供たちのためです。また、奥さんは、そういう所で話す時が、一番すてきなんです。何だったら、ご覧になって下さい」

飯田は身をのり出して、「子供たちが待ってるんです。大人は嘘つきだと、身にしみている子供たちです。その子たちに、約束を守る大人もいる、ってことを、教えてやりたいんです。田原さん、お願いです。後でいくらでも殴って下さい。今は、奥さんを出してあげて下さい」

田原も、飯田の言葉に考え込んでしまっている。

——貴子は、心を打たれていた。

「お父さん」

と、貴子は言った。「飯田さんの言う通りだわ」

「ありがとう、貴子さん」

と、飯田は言った。「どうでしょう、田原さん」

田原は、ため息をつくと、

「口のうまい奴だ」

と、飯田をにらんで、「それなら、早く仕度しろ」

「あなた……」

「俺は行かんぞ。――そんな、お涙ちょうだいのドラマは嫌いだ！」

パッと立ち上がると、「俺は寝る！」

と、さっさと居間を出て行ってしまった。

「お父さん、凄く涙もろいのよ」

と、貴子が言った。「お母さん、急いで仕度したら？」

「そうね」

寿江は、顔を紅潮させていた。「待っててね。五分で下りて来るわ。時計で、計っててちょうだい！」

寿江がほとんど走るように出て行く。

貴子は、ちょっと笑って、

「五歳は若返った」

と、言った。

「すてきなお母さんだ」

と、飯田は言ってから、「貴子さん、すみませんね」

と、謝った。

「いいえ」

「いつ……分かったんですか」

「それは――」

貴子はためらった。飯田がくれたことになっている手紙のこともある。

どう言っていいのか、分からなかったのである。

すると、

「――そのお話はゆっくりなさった方が」

と、声がした。

「あ、弘野さん」

弘野香子が立っていたのである。

「お話、うかがってしまいました。すみません、勝手に上がり込みまして」

「いいえ。でも、どうしてうちへ？」

「こちらのマネージャーの方とお話がしたくて参りましたの」

飯田は香子を見て、ポカンとしている。

「私の車で参りましょう。その中で『会談』が持てるかと存じます」

「私も行っていい？」

「もちろんですわ」

と、香子が微笑んだ。


かくて——何だかわけの分からない様子の飯田を加え、香子のベンツは、さすがに少々狭苦しいほどの客を乗せて、走り出したのである。

助手席に香子、後部席に、田原寿江、貴子、そして飯田の三人。

「ちょっと！　どうして私を無視すんのよ！」

あ、すみません。——由利子も一緒だったのである。

「何ですって？」

学校の講堂での出来事を聞いて、飯田は息をのんだ。「そんな写真を、一体誰が……」

「それが分からないから、気味が悪いのよ」

と、寿江が言った。「主人が怒るのも当たり前だわ」

「ウーン」

と、飯田が唸っている。

「お腹でも痛いの？」

と、寿江が訊くと、飯田はいささか心外、という様子で、

「感心しているんです」

「何に？」

「ご主人です。——僕なら、そんな恥をかかされたら、会うなりぶん殴ってます」

「そうね」

と、由利子がしっかり肯いたので、飯田はちょっとドキッとしたようだった。

「この際、重要なことは——」

と、香子が言った。「誰が、お二人の写真をとったのか、ということです」

「見当もつかないわ」

と、寿江が首を振る。

「僕もです。——そんなに恨まれる覚えもないけど」

「常識的に考えれば、ご主人が可能性の一番高い人だということになります」

と、香子は言った。「ですが、先ほどのお話をうかがっていますと、とてもそんなことをなさるとは思えません」

「それは同感だな」

と、飯田が言った。「とても立派な方ですよ」

「ありがとう」

寿江が、感謝の気持ちをこめた目で、飯田を見た。

「加えて、他の要素もございます」

と、香子が言った。「その写真をスライドにして、本物のスライドとすりかえることのできた人です」

「なるほどね」

と、由利子は肯いた。「そうそう。それとさ——」

由利子は至ってなれなれしく、飯田をつっついて、

「ね、あんた、この貴子にラブレター、出した？」

「はあ？」

飯田が面食らって、「ラブ……レター？」

「先輩——」

と、貴子が赤くなった。「そのことは……」

「いいじゃない。はっきりさせとかなくちゃね」

「でも……」

貴子が照れているので、由利子が、飯田の名で出された手紙のことを話してやると、

「そんなもの、出してませんよ！」

と、飯田は唖然とした様子。「いや——ひどいな、そいつは！」

「貴子」

と、寿江はびっくりして、「そんなこと、どうしてお母さんに言わなかったの？」

「それは無理かと存じます」

と、香子が言った。「万一、本物であれば、お母様を傷つけることになります」

「そう……。そうね」

寿江は肯いて、「貴子。——ごめんなさいね」

「お母さん」

「そんなことにまで、気をつかってくれていたのね」

寿江が、貴子の肩にそっと手をかける。

「いいのよ」

と、貴子は笑顔で、「でも、ちょっと残念だな。ラブレターなんて、初めてもらったのに」

「しかし、分からないな」

と、飯田は首を振って、「本当に僕の字とそっくり？」

「ええ、そっくりよ」

「飯田さん。まさか、あなた本当に——」

「やめて下さいよ！」

と、飯田はむきになって、「僕は——そこまで卑怯者じゃありません」

香子が、

「コーヒーでも、どうぞ。ちょうど入ったところですわ」

と、言った。

座席の背のボードを引き出し、コーヒーカップを並べて、できたてのコーヒーが注がれる。

たちまちの内に、ベンツの中はサロンの雰囲気になってしまった……。

「あと十分です」

と、運転手が言った。「もし、私もコーヒーをいただいてよろしければ、十五分かかります」

「どうぞ」

と、飯田が言った。「それでも、二十分前に着く」

では、というので、ベンツを並木道のわきへ寄せ、運転手も一杯、ということになる。

「――ね、香子、どういうことなんだろうね？」

と、由利子が言った。「黒インクの奴の仕業？」

「偶然とは思えません」

と、香子は言った。「滝田雄策の字をまねられて、かつ、飯田さんの字をまねできる……」

「何か接点あるの？」

「それはこれから当たらなくてはなりませんわね」

と、香子は言った。「今はともかく、このコーヒーの香りと味を……」

「楽しんでます！」

と、飯田が大声を出したので、みんながドッと笑った。

今朝の重苦しい空気が嘘のようで、田原寿江と貴子は、そっと目を見交わしたのだった……。

## 6 黒い箱

「それでは——」

と、教務主任の駒井先生は、ズラッと並んだ先生たちを見回して、「今日の職員会議はこれで終わりということに——」

その言葉の途中で、早くもファイルを閉じ、席を立ちかけている先生もいた。

「ちょっと、すみません」

と、手を上げたのは、物理の教師で、畑中直子(はたなかなおこ)先生。

まだ若いので、色々、訊きたいことがあるのは分かるけどね……。後で、一人で訊いてくれる？

他の先生たち、口には出さないけれど、そう思っているのが、表情で分かる。

「畑中先生、何ですか？」

と、駒井先生が訊く。

「先日の講演ですけど、中止のままでしょうか？　今月の行事として、代わりに何かやる必要でも？」

みんなが顔を見合わせる。——なるほど、という感じ。

「まあ、あの場合は、中止もやむを得なかったと――」

「それは分かります」

と、畑中直子は言った。「また改めて話していただくのか、それとも全く別の方にお願いするのか……」

「改めて、というのは無理かと思いますね」

と、駒井先生は言った。「といって、今月中に、今から急に話を、とお願いするのも、大変でしょう」

「分かりました。じゃ、一応今月は中止、ということですね」

「そうならざるを得ないと思います」

「分かりました。どうも失礼しました」

畑中直子は肯いて、何やら手もとのメモに書きつけた。

「では、他に何か？　――なければ、これで」

みんなが椅子をガタつかせながら、立ち上がる。

「例の、休講の扱いですけどね……」

「そうそう。色々難しくて」

「まあ、出欠のとり方を――」

あれこれ、おしゃべりしながら、先生たちが会議室を出て行く。

駒井先生は、資料をまとめて、のんびりとファイルへしまい込むと、立ち上がった。

「——畑中先生、帰らないんですか?」

一人、机に向かって何か書いているのが、畑中直子だった。

「ちょっと、自分なりに整理しているんですの。どうぞお先に」

「そうですか。熱心で結構」

「とんでもない。頭が悪いから、早くやっとかないと、忘れてしまうんです」

と、畑中直子は笑った。

「じゃ、お先に」

「お疲れさまです」

と、畑中直子は会釈した。

一人、会議室に残ると、畑中直子はホッと息をついた。——ファイルを閉じ、それから席を立って、ドアの方へ歩いて行き、廊下を覗く。

ずっと先の角を、駒井先生が曲がって見えなくなると、畑中直子はドアを閉めた。

自分のバッグを開けると、何やら小さな黒い箱を取り出す。会議室の中を見回すと、移動式のホワイトボードに目をつけ、その下に取り付けてある引出しを少し引っ張り出し、黒い箱を、その裏側へピタリとつけた。マグネットで、落ちないようになっているのだ。

その上で引出しを戻し、ホワイトボードを、真っ直ぐに直した。

足音がする。――畑中直子は、急いで自分の席に戻った。

ドアが開いて、数学の担当教師が入って来た。

「や、畑中先生、お使いですか、ここを?」

「いえ、もう出るところです」

と、畑中直子はファイルを片付けて立ち上がった。

「そうですか。じゃ、失礼して」

その教師について入って来たのは、あまり成績がいいとは言えない二年生だ。

「失礼します」

と、会釈して、畑中直子は廊下へ出ると、ドアを閉めた。

廊下を歩いて行き、足を止めると、ちょっと周囲へ目をやって、バッグを開け、中で受信機のスイッチを入れる。

「――なあ、これじゃ問題だぞ。分かるか」

と、あの教師の声が、はっきりと聞こえて来る。

「はい……」

生徒の方は、弱々しい声。

「俺も精一杯、やってるつもりだ。要はお前のやる気なんだ……」

カチッとスイッチを切ると、畑中直子はちょっと微笑んで、職員室へと歩き出した……。

「要するに——」

「その通り！」

「まだ何も言ってないよ」

と、由利子がむくれて、「どうせ、私の言うことなんて、大したことない、と思ってんでしょ」

「そんなことないよ」

と、旭子が言った。「ねえ、香子」

「お姉様の着想には時として、大変独創的なものがございます」

と、香子は言った。「もっとも、たいていの場合、ご自分でもお気付きになっていないのですが」

「要するに、まぐれ、ってことじゃない」

「早く申せば、そういうことです」

「遅く言っても同じことよ」

——三人組は、ドーナツ屋さんの二階に集まっていた。

もちろん、ドーナツも食べに来ているのだが、それだけではない。

「遅いね」

と、旭子は言った。

「忘れてんじゃないの、楽しくて」

と、由利子が言ったとたん、ドーナツ屋の二階に、草場美里と滝田雄策が一緒に現われた。

「——やあ、どうも」

と、滝田が由利子たちに会釈した。

「お幸せそうで」

と、由利子が言うと、

「ええ、幸せなの」

と、美里が正直に言った。

「聞いちゃいらんないね」

と、旭子がため息をつく。

「——さ、ドーナツでも食べながら、お話をいたしましょう」

と、香子は言って「いかがですか、滝田さん、心当たりはございまして？」

「いやあ……。よく考えてみたんだけどね。——僕の字をあんなにうまくまねできる奴なんて、とても思い付かないよ」

「そうですか」

「ね、美里」

と、由利子が言った。「あなた、この人から来た手紙を、人に見せたこと、なかった?」

「まさか!」

と、美里は赤くなって、「そんな恥ずかしいこと……」

「へえ、何が書いてあったの?」

と、後ろから声がした。

「真由子! あんた、何してんのよ?」

由利子の妹の、おませな真由子である。

「ドーナツ屋さんに来て、ドーナツ食べる以外に何すんの?」

「口のへらない奴」

「腹はへってる」

真由子は、ちゃっかり椅子を持って来て、仲間に加わってしまった。

「すると――滝田さん、この美里以外の女性にラブレター出したことは?」

「ないな、大体、凄く面倒くさがりだから、手紙、めったに出さない」

「そうよ。この人から来た手紙って、あのひどいのを除くと二通だけ」

「あれは僕じゃない!」

「分かってるわ」

と、美里は言って、滝田の顔にチュッとキスしたから……。

一同、あっちこっちへ向いて、咳払いしたり、ため息をついたり……。

「すると奇妙ですね」

と、香子が言った。「一体、あれを黒インクで書いた人間は、いつどこで、滝田さんの字を見たのか……」

みんな考え込んでいたが、その割りには、よく食べていた。

「ラブレターかあ」

と、真由子が言った。「でも、運悪いのよね。うちのクラスでも、ラブレター出そうとした子がいるの。だけど、その日に限って、持ち物検査。——見付かって、親は呼び出されるし」

「ひどいね」

と、由利子が顔をしかめる。「子供にも、プライバシーはある」

「そうよね」

すると、

「待って」

と、美里が言った。「今の真由子さんの話で、思い出した」

「何を？」

「この人から来た手紙、一度、学校で落としたことがあるの」

「どこで？」

「よく分からないの。ともかく、一通目の手紙で、嬉しくて、持って歩いてたのよ」

と、美里は思い出そうと努力している。「そう……。気が付いたら、落っことしてて……。あわてて捜したの。そしたら、先生が、『これ、落としたでしょ』って――」

「先生？　どの先生が？」

「確か……。そう、女の先生だわ。ええと……何てったっけ？　私、習ってないの」

「若い人？」

「物理の――」

「ああ、畑中先生ね」

と、由利子が言った。

「そうそう！　畑中先生だった」

「どこで拾ったとか、言ってなかった？」

「何も……。だって、見付かってホッとしたのと、恥ずかしいのとで、急いでもらって来ちゃったから」

「それは当然ですわ」

と、香子は言った。「してみると、誰かが拾っていたとして……」

「見る機会はあったわけか」

と、旭子が肯く。「畑中先生にもね」

「あの先生、いい人よ。そんなことしないわよ」

と、由利子が言った。

「分かってる。ただ、見る機会があったってだけよ」

「一度、お話をうかがうべきかもしれませんわ」

と、香子は言って、「このドーナッツを食べ終わりましたら、参ってみましょうか」

「学校へ？　もう先生たち、いないよ」

「今日は職員会議です」

と、香子はニッコリ笑って、言った。


「――ああ、憶えてるわ」

と、畑中直子は肯いた。「とてもロマンチックな手紙だったわね」

「恐れ入りますが」

と、香子は言った。「どこで拾われたか、憶えていらっしゃいますか」

「私じゃないもの、拾ったの」

「じゃ、誰が？」

と、由利子は訊いた。

「さあ。――この机の上にあったの」

と、畑中直子は、自分の机をポン、と叩いた。「それで宛名が草場さんだったんで、捜して渡したのよ」

「じゃ、誰が置いてったか、分からないんですね」

と、由利子はがっくり来た様子で、言った。

「残念ね、お役に立てなくて」

「いえ、失礼いたしました」

と、香子が頭を下げ、由利子、旭子と美里を連れて、職員室を出る。

「――一人で残って、頑張ってるね」

と、旭子が言った。「若いから、張り切ってんだね」

「お姉さま」

と、香子が、何やら考え込みながら、言った。

「うん?」

「畑中先生の引出しがあいてたの、お気付きになりました?」

「うん」

「その中の物を?」

「見たよ」

「何のこと?」

と、旭子が言った。

「インクスペアです」

と、香子が言うと、由利子が続けた。

「黒の、ね」

# 7 殺人

あれ？　いつの間にここへ来たんだろう……。

飯田春男は、ふと我に返って、戸惑っていた。

いや、「酔いがさめて来た」と言った方が正確かもしれない。もともと、アルコールにはそう強い方ではないが、酔いのさめるのも早い。

「酔いやすく、さめやすい」

という性質なのである。

今夜は飲みたかった。そして、思い切り酔いたかったのだ。

飲んで——思い通りに酔ったのだが、自分のアパートへ帰り着く代わりに、ここへ来て、酔いがさめてしまった、というわけである。

確か、前に来たことがある……。だから、つい無意識に来てしまったのだろうか。

薄暗い、細い道を入って行くと、両側に小さいバーやスナックがズラッと並んで……。いや、並んでいる、というより、ひしめき合っている、という印象だ。

そう聞くと、夜のこの時間には、いかにもにぎやかに人の行き交う場所を連想するかもしれない。ところが——実際は、ほとんどが真っ暗といってもいいくらい。

ほとんどが店を閉めてしまって、開いているのはわずかに二、三軒という寂しさなのである。遠からず、全部が立ち退き、取り壊されて、ビルでも建つことになるのだろう。

「――ここかな」

足を止めたのは、通りの真ん中辺りにある一軒のバー。

開いてはいるらしいが、客なんか入るのかどうか。しかし、確かここだったような気がする。

――あの女に会ったのは。

少しためらってから、飯田はドアを押した

いらっしゃい、という声もなかった。

カウンターの奥から、少しむさ苦しい感じのバーテンが飯田をジロッと見た。

「あら」

と、隅のほうで声がした。「あなたなの」

あまり薄暗くて、少し目が慣れて来ないと、誰がいるのかもよく分からない。

カウンターの一番奥に、あの女はいた。

「やあ……」

飯田は、その女の横に腰をかけると、「前にもここで……」

「そうよ」

女は、愉しげに言った。「よく憶えててくれたわね」

「そりゃ忘れないさ。美人は絶対に忘れないんだ」

「見えすいてるわね！　――何を飲む？　おごるわ」

「君がおごるのかい？」

「ここへ来る時は、たいてい落ち込んでるでしょ」

「一回だけじゃないか、前に来たのは」

と、飯田は抗議して、「しかし――まあ、落ち込んでる」

「ほら、ごらんなさい」

「じゃ、水割り。――前に、君とここで会って……何の話をしたんだっけ？」

「あなたの、むくわれない恋の話よ」

と、女は言った。「また別の恋人のことで落ち込んでるの？」

「そう年中振られるかい」

と、飯田は、少々心外、という調子で言い返した。「同じ女性のことさ」

「そっちだって、あんまりカッコいいとは言えないわね」

と、女は笑った。「ともかく、乾杯」

女も水割りを飲んでいた。カチン、とグラスが音をたてる。

若くて、なかなか可愛い女である。しかし、飯田としては、今、別の女性に恋をするつもりはない。

「まだ思い切れずにいるわけね」

と、女は言った。

「いや、一度はね、向こうもその気になってくれたのさ」

と、飯田は言った。

「じゃあ……」

「あっちもご主人に不満があって……。ま、正直なところ、何度かホテルにも泊まった」

「やったじゃないの。念願が叶った、ってわけね」

「まあね。しかし……」

「ご主人にばれた？」

「それもそうだが、やっぱり彼女にとっちゃ家庭が大切。僕も、彼女をそこまで追い詰めたくもないのさ」

「で、身を引いた、ってわけ？」

「うーん……。まあ、カッコ良く言えば、そういうことになる」

「じゃ、今さら悔やんでもしょうがないわね。——彼女の家庭は平和になったわけ？」

「うん。ご主人もね、なかなかできた人さ。僕のことを、会社へ訴えりゃ、僕なんか直ちにクビだ。でも、今まで通り、僕に担当させてくれてる」

「へえ」

「彼女の方からご主人に『担当を代えてもらうから』と言ったんだが、ご主人が、『今の奴の方が良く分かってるんだろ。いいじゃないか、今のままで』と言ったんだ。——どうだい？ なかなか言えないセリフだろ」

「そうね」

女は、なぜかちょっと顔をしかめて、それを飯田に見られまいとするように、うつむいた。

「あのご主人なら、彼女も幸せさ。——かくして、僕の方はここで飲んでるってわけだ」

「そう」

女はパッと笑顔になった。「じゃ、今夜は思い切り飲みましょうよ」

「君と？」

「そう。あなたの新しい船出を祝ってね」

「船出か。——何だかわびしいね。〈蛍の光〉か何か流れて」

「テープが切れて海に漂って……」

「そう。しめっぽいなあ、船出ってのは。しかし、今の僕の気分にゃぴったりかもしれない」

飯田はぐっとグラスをあけた。

「もう一杯飲む？」

「うん。もらおう！　今夜は、思い切り、陽気な酒になってやる！」

狭い店で、二人しか客はいなかったが、まるで団体客でも入っているようなにぎやかさだった。

バーテンは、相変わらず無口で、言われる通りに、水割りを作っているばかりだった……。

「良かったね」

と、由利子が言った。

「え？」

「貴子のお母さん。今朝も何かのＴＶに出てたじゃない。すっかり元気そうで」

「ええ」

田原貴子は、嬉しそうにニッコリ笑った。

——放課後。

バレー部の練習が終わって、シャワーを浴び、ロッカールームへと歩いて行く途中だった。

「でも……」

と、貴子が言いかけて、ちょっとためらう。

「どうかしたの？」

「あの飯田さんのことなんです」

「ああ、あのマネージャー？　また何か問題になってるの？」

と、由利子が訊いた。

「そういうわけじゃないんです。——父も、あのことにこだわらない、って言ってますし」

「じゃ、何なの？」

「三日前から、行方が分からないんです」

「ええ？」

由利子は面食らった。「蒸発しちゃったの？」

「それがさっぱり。母が大阪へ行く予定の日に、時間になっても来ないんで、仕方なく母一人で行ったんです。で、大阪からオフィスへ電話を入れてみると、みんなびっくり」

「じゃ、誰も知らないわけね、どこへ行ったのか」

「電話一本、入っていないらしいんです。取りあえず母の仕事は、他の人が担当してくれているんですけど、飯田さんがどうしちゃったのか、母も気にしてます」

「事故にあったとか……」

「ええ。一人暮らしだったみたいですから。母も心配して、警察に届けたら、とかオフィスの人に言ってますけど。——あんな風に調子のいい人だけど、いい加減じゃないんです。連絡もなしに仕事をやめちゃうような人じゃありません」

「なるほどね」

と、由利子は肯いた。

確かに、会った時の印象からも、由利子は貴子の言葉に同感だった。

飯田が本気で貴子の母、田原寿江に恋していたとしても、別れたからといって、勝手にどこかへ行ってしまうというのも、妙なものである。

「それはやっぱり警察へ――」

と、由利子は言いかけて、足を止めた。

ロッカールームの前に、男が二人、立っていたのである。そして、一緒にいるのは、教務主任の駒井先生。

「先生、どうかしたんですか?」

と、由利子は訊いた。

「いや、実はな……。田原君、刑事さんが君に話を聞きたい、ということなんだよ」

貴子は、由利子と思わず顔を見合わせた。

「何か……あったんですか」

と、不安になって訊く。「母に何か――」

「いや、そうじゃない」

と、駒井先生は首を振った。「君のお母さんのマネージャーをしていた男がいたね。あの時の写真の……」

「飯田さん、ですね」

「飯田春男は死んだよ」

と、刑事の一人が、ぶっきらぼうに言った。

「もうちょっと、気をつかった言い方をして下さい」

と、由利子が文句をつけた。

「何だ、君は？」

刑事はジロッと由利子をにらんで、「関係ない奴は黙ってろ」

ムカッとした由利子だったが、刑事二人を相手に立ち回りをやっても仕方ないので、こらえることにした。

「――あの、飯田さん、どうして死んだんですか」

と、貴子が訊いた。

「殺されたのさ。頭を殴られて、川へ投げ込まれた。今朝死体が上がったんだよ」

「ひどい……」

と、貴子は少し青ざめて、「母は知ってるんでしょうか」

「いや、まだ講演先から戻らないのでね。その前に、君の話を聞きたい」

と、刑事は言った。

「私の？」

貴子は戸惑った。「でも、飯田さんは母の――」

「講堂での出来事についてね」

「そのことはお話ししました」

と、駒井先生が言った。「くり返して訊くこともないと思いますが」

「それはこっちで判断することです」

と、刑事はそっけない。「君のお母さんと、飯田との関係が原因で、お宅でもめごとになったんだね？」

「もめごとって——」

「当たり前でしょ。誰だってもめますよ」

と、由利子が、また口をはさんで、にらまれた。

「そして飯田は殺された」

刑事は、意味ありげに肯いて見せた。「何か関連がある、と我々は見ているんだがね」

「でも、もうすっかりすんでいたんです」

と、貴子は言った。

「ほう。どんな風に？」

貴子は、父と母と飯田が話し合った時のことを説明し、また父が、母のマネージャーを代える必要はない、と言ったことを話してやった。

「——なるほどね」

と、刑事は、何だかいやな笑い方をした。「君のお父さんは、まれに見るお人よしらしいね」

「どういう意味ですか」

「普通なら、自分の女房に手を出した男に腹を立てるさ。カッとなって——殺してやりたいと思うのが当たり前だ」

由利子は苛々して、

「何が言いたいんですか？　言いたいことがあったらはっきり言えば？　国語のテストじゃ0点ですよ」

と、言ってやった。

「うるさいね、君は」

と、刑事はまた由利子をにらむ。

「刑事さん、一体何のことなんですか。父が何か——」

「じゃ、一つはっきりさせよう」

と、刑事は言った。「君のお父さんは、三日前、どこにいた？」

「三日前？」

貴子は少し考えて、「出張で……。そうです。母は大阪、父は名古屋で、あの日は私一人だったんです」

「なるほど」

「それがどうしたんですか」

「我々の調べによるとね」

と、刑事は得意げに言った。「君のお父さんは出張になど行っていない」

「何ですって？」

「その日、君のお父さんは会社を休んでいるんだ」

「嘘です！」

と、貴子は烈しく言った。「父が殺した、って言うんですか？」

「我々はそう見ている」

と、刑事は言った。「少なくとも、その日に、君はお父さんと一緒にいなかったわけだな」

今さら否定することもできず、貴子は唇をかみしめていた。

「——では、君のお母さんが戻られたら、話をうかがうことにしよう」

と、刑事は満足げに、「我々の考えの正しいことが分かると思うがね」

すると、そこへ、

「そのお考えは誤っていると存じますが」

と、声がした。

刑事たちは、びっくりして振り向いた。

そこには、いつの間にやって来たのか、香子が静かに立っていたのである……。

# 8　火の誘惑

「――参ったね」

と、旭子が言った。「それじゃ、時間の問題？」

「そうね」

と、由利子はため息をついて、「貴子のお父さんに、はっきりしたアリバイがないと、きっと、警察は逮捕にふみ切るわ」

「貴子、心配だろうね」

「当然でしょ。私も、貴子の気持ちを考えると、食事が喉を通らない……」

「喉を通らないで、どうやってそうお腹に入るわけ？」

と、旭子がからかった。

「――食事をとり、栄養をつけることも、貴子さんのお父様を助けるためには必要なことです」

と、香子が言った。

何となく、香子が言うと、「正当化」されてしまう、というところがあり、三人は安心して「お好み焼き」を食べることができたのである。

「――お待たせ！」

と、ヒョイと座敷に顔を出したのは、真由子である。

「真由子！　あんた……」

と、由利子が啞然として、「どうしてここが分かったの？」

「へへ……。お姉ちゃんが電話で打ち合わせしてるのを聞いた。それと、メモ用紙の上に、お姉ちゃんの書いた字の跡がうつってた」

「かなわないなあ、もう！」

と、由利子は声を上げた。「勝手に食べな」

「しっかり注文して来た」

お好み焼き屋さんの奥の座敷。――何の話も、まず食べるものがついてないと、始まらないのである。

「――それで、どうするの？」

と、旭子が鉄板の上でお好み焼きをジュージューやりながら言った。

何しろ四人分のお好み焼きがジュージュー音をたてているので、かなりやかましい。会話も、勢い、大声になってしまうのだった。

「何とか助けてあげたいね」

と、由利子は言った。「でも、貴子のお父さんもおかしいの。出張って嘘をついて、どこへ行ったのか、訊かれても答えないっていうんだから」

「疑われても仕方ないか」

「ねえ。——よほどの事情があるんだろうけど」

「ですが、飯田さんを殺すような方とは見えません」

香子の意見には、みんなも同感だった。

「警察ってのは、何であぁ単純な考え方しかできないんだろ」

「その方が楽なんでしょ」

「そのせいで、無実の人が泣くことがあってはなりません!」

と、香子は力強く言った。

「といって……どうする?」

旭子の言葉に、由利子はやや考え込んでいたが、

「畑中先生のことは?」

と、言った。

「黒のインクスペア、か」

旭子は首を振って、「それだけじゃ弱くない? いくらもいるよ、黒のスペア使ってる人なんて」

「もちろんです」

と、香子は肯いて、「ただ、あの方は、滝田さんの字を見る機会があったのです」

「そう。そこよ。他に手がかりがない以上、当たってみてもいいんじゃないかな」

「ただし、用心しませんと」

と、香子は言った。「私どもの先生なのですし、万一、こちらの間違いで、あらぬ噂が広がってはいけません」

「どうやって調べるの？」

と、旭子が訊く。

「後悔しておりますわ。あの手紙のことを、畑中先生にうかがいに参りました時、この三人、揃っておりましたでしょう。私どもの誰が動いても、すぐに気付かれてしまう心配がございます」

「あ、そうか。――そこまで考えなかったもんね」

三人組は腕組みして考え込んだ。――お好み焼きは、すでに食べ終えてしまっていたのである。

一人、ジュージューとやっているのは、遅れて来た真由子だった……。

――とうとう来てしまった。

河辺みゆきは、別に走って来たわけではなかった。しかし、心臓は、辺りに響きわたるかと思えるくらいの勢いで打っているし、暑くもないのに汗が背中を伝い落ちて行くのが分かった。

来てしまった。学校へ。

もちろん——いつもこの花園学園に通って来ている。河辺みゆきはここの高校二年生なのだから。

しかし、今はちょっと事情が違う。

土曜日の夜、十二時。もちろん学校は真っ暗で、誰もいない。

なぜ、こんな時間に、みゆきがここへやって来たのか。母親に、

「友だちの家に泊まる」

と、嘘をついてまで……。

でも——でも、来てしまったんだ。今さら、戻れやしないんだ。

みゆきは自分にそう言い聞かせた。

周囲を見回す。——花園学園の周囲は、住宅がずっと並んでいるので、用心しないと見られてしまいそうだ。

十二時なんて、いくらでも起きている人間のいる時刻である。

ためらっていても仕方ない。——みゆきは車が通りかからないのを確かめると、急いで裏門へと回って、そこから門をよじ上ると、学校の中へ入った。

ほんの何秒かのことだ。たぶん見られずにすんだだろう。

校舎の中へ入るのは、難しくなかった。

それより、中に入って、わずかばかりの非常灯の光の中、廊下を一人で歩いて行くのが、思いもしなかったほど、怖かったのである。

まるで、この世のものならぬ怪物が、ヒョイと廊下の角から出て来るような気がして。

でも――私の方が「怪物」なのかもしれないわ、とみゆきは思った。

だって――学校に火をつけようとしているんだもの……。

もういやだ。――あのテストを持って帰ったら、また何時間もお父さん、お母さんから説教される。

まるで、テストの点で、人間か人間じゃないか、決められるみたいに。そんなの、いやだ！

私は人間だわ！　いやなことも、好きなこともある人間なんだ……。

職員室。――職員室。

いつもなら、怖くて入って行く気になんてなれない。でも今は空っぽなのだから。

採点ずみのテストがどこの戸棚に入っているか、みゆきはちゃんと知っていた。あの「親切な人」が教えてくれていたのだから。

――これだ。この中だわ。

扉はスッと開いた。――これも、「あの人」の言った通りだった。

本当なら鍵がかかっているのだろう。それがどうしてかかっていないのか、みゆきには分からなかったが、考えもしなかった。

今はともかく、この中にそれがある、ってことが大切なのだ。

「――あった」

と、呟く。

答案用紙の束を、震える手で取り出す。

その「親切な人」の手紙は、黒インクの、くせのない、ペン習字のお手本みたいな字で書かれていた。

みゆきのテストの点数と、それがもたらす結果を、その手紙ははっきりと書いていた。そして、その「最後の時」が来るのを防ぐにはどうしたらいいか。

その手紙は親切にも、そこまで書いておいてくれたのだ。そして――ちゃんとそのテストのしまってある戸棚の位置も。

「鍵はあいてます」

と、手紙には書き添えてあった。

本当に――あの人には何でも分かってるんだわ。

床の上にテストの束を置くと、みゆきはマッチを取り出した。手が震えているせいか、それとも汗のせいか、マッチを何度もとり落としてしまう。

それでも何とか――一本とり出して、シュッとすると、パッと火花が散って、マッチの頭に火がついた。

さあ、これでいい。これでテストの束の上に落とせば……。

本当に？　これでいいのかしら？

みゆきは喘ぐように息をついた。マッチの軸は半分近くまで、燃えて来ていた……。

香子は、目を開いた。ドアが開いて、眠そうな顔をしたメイドさんが立っている。

「どうかしたの？」

と、香子はベッドに起き上がった。

「お客様……です」

と、途中で盛大な欠伸をしながら、メイドさんが言った。

「どなた？」

時計を見る。一時半。——夜中である。

「お友だちとか……。河……河辺様です」

「河辺みゆきさん？」

香子は、ちょっと眉を寄せて、「分かった。すぐ行くわ。お通ししておいて」

「はい……」

メイドさんは、香子の部屋を出ようとして、「何かお飲み物でも？」

と、訊いた。

「必要かもしれないわね」

「分かりました」

メイドさんは、また眠そうに目をこすりながら出て行った。

香子は、ちょっと首をかしげた。

河辺みゆきは、確かに同じ二年生だが、少しも親しいわけではない。どうしてこんな夜中に訪ねて来たんだろう？

パジャマの上にガウンをはおって、香子は階下へおりて行った。

「応接室へお通ししました」

メイドさんが言った。「何だかご様子が……」

「おかしい？」

「家出でもして来られたのじゃ」

「分かったわ。ともかく何かあたたかいものをね」

「はい」

香子は、応接室へと入って行った。

ソファにぐったりと座り込んでいた少女が、ギクリとしたように顔を上げた。

「いらっしゃい」

と、香子は言った。

「ごめんなさい……。こんな時間に」

と、みゆきは消え入りそうな声を出した。

「多少遅めですが、別に構いません」

と、香子はにこやかに、「よく来て下さって……」

「ここしか――思い付かなかったの」

と、みゆきは言った。「一晩……泊めてほしいんだけど」

「必要でしたら、いく晩でも」

と、香子は言った。「ですが、お宅でご心配を――」

「怖いのよ、私！」

と、みゆきは突然叫ぶように言って、泣き出した。

メイドさんが、紅茶を運んで来る。

「置いて。――後はいいわ。私がやるから」

と、香子は言った。「みゆきさん。――大丈夫ですよ。ここにいらっしゃれば、もう安心です」

「そう……。そうね」

みゆきは涙を拭った。

「さ、どうぞ。紅茶の香りは、人を落ちつかせます」

「本当ね」

みゆきは肯いた……。

紅茶を飲んで、少し落ちついた様子のみゆきは、

「私——学校へ行って来たの」

と、言った。

「こんな時間にですか」

「火をつけに」

と、みゆきは言った。「ひどい点のテストを焼いちゃおうと思って」

「まあ」

「でも……できなかった。怖くて。——もしかしたら、本当にやっちゃったかもしれない自分が怖くて……」

「じゃ、火をつけなかったんですね？」

「やれなかったの」

「それはいいことです」

と、香子はホッと息をついた。

「ええ。今はそう思うの。でも——あの手紙を読んだ時には……」

「手紙？」

香子の目が鋭く光った。

## 9　炎の輪

「お姉ちゃん、電話」

と、真由子が言った。

「うん……」

当然答えたのは由利子である。しかし——返事したものの、由利子は一向に起きようとはしなかった。

しっかり眠り込んでしまうと、由利子はめったなことで目を覚まさない。前にも、家中大騒ぎした地震の時、一人、全く起きずにグーグー眠っていたという「実話」がある。

「お姉ちゃん！　起きて！」

と、真由子が由利子を揺さぶる。「ほら！　学校遅刻するよ！」

「え？　——え？　もうそんな時間？」

と、由利子がトロンとした目つきで、起き上がる。

「何よ、二時じゃないの。まさか……お昼の二時じゃないでしょ」

「お電話。——香子さんから」

「香子から？」

しょうがない。由利子はブルブルッと頭を振って、ベッドから出た。真由子が呆れて、

「それでも高二？　二時ぐらいまで起きてる人、珍しくないんじゃないの？　土曜日なのに」

妹の方はしっかりまだ起きて、ＣＤなんか聞いていたのである。

「私はね、睡眠をとらないと具合が悪くなるの」

と言いつつ、大欠伸（あくび）。

「どの辺が？」

「うるさい」

「パジャマ、おヘソが出てるよ」

「大きなお世話だ」

「色気ないんだからね。十七にもなって」

どっちかというと、妹の真由子の方がお洒落（しゃれ）でもあり、着るものからアクセサリーまで細かく気をつかう。

由利子は、面倒くさくてしょうがないのである。そんなヒマがあったら、寝てるわ。

「――もしもし」

「お姉様。おやすみのところ、申し訳ございません」

いつもながらのごていねいな挨拶である。

「何よ？　深夜ＴＶで、面白いの、やってる？」

「学校へ行っていただきたいのです」

「どこへ？」

と、由利子は訊き返した。

「学校です。今、旭子さんにもお電話いたしました。急いで学校へ駆けつけていただけませんか」

「何かあるの？」

「河辺みゆきさんが訪ねて来られたのです」

「河辺みゆき？　ああ、あの子ね」

「それが——」

香子は、みゆきが学校に放火しかけて、思い止まって、やって来たことを、手短かに説明した。

「結局やめたのなら、いいじゃない」

「それが、どうも不安なのです。手紙で、河辺さんに放火を促した人間は、どこかで様子を見ていたかもしれません」

「あ、なるほど」

由利子にも、やっと分かって来た。「それで、河辺みゆきがやめたのも見てた、と……」

「行って下さいますか」

「OK」

由利子も、大分目が覚めていた。「香子は?」

「河辺みゆきさんから目が離せないのです。今、うちの主治医を招んでいます。到着次第、私も駆けつけます」

「分かった。任しときな。この時間じゃ、タクシーしかないね」

「申し訳ありません。タクシー代は後ほどお払いします」

香子も、多少気をつかいすぎるところがあるのだ……。

由利子は電話を切ると、

「ね、どうしたの?」

と、好奇心一杯で訊いて来る真由子を無視して、

「ウォーッ!」

と一声吠えると、自分の部屋へ向かって突進し、十秒後には仕度を終えて飛び出して来た
——というのは、もちろんオーバーである。

「——由利子!」

と、旭子が声をかけて来る。

「旭子。いつ来たの?」

と、タクシーをおりた由利子は、旭子の方へと駆けて行った。

「今よ。来たはいいけど、どうしたらいいのかな、と思って、迷ってたの」

「そうね。――別に変わった様子もない？」

「見たところはね」

正面から覗くと、校舎は静かに、ただ眠っているように見えた。

「――香子は何を心配してるわけ？」

と、旭子は言った。

「よく分からないけど……。もしかすると、例の〈黒いペン〉の犯人が、この辺りに潜んでるかもしれないと思ってるみたいよ」

「――どの辺に？」

旭子が、いささか気味悪そうに、周囲を見回す。

「知らないわよ。――香子も来るって言ってたし、待ってる？」

「そうね……。由利子！」

突然、旭子が由利子の腕をつかんだので、

「痛い！　何すんのよ！」

「学校の中に……誰かいる」

「え？」

「今、窓の所にチラッと明かりが……」

「本当？」

由利子は、じっと目をこらしていたが、それらしいものは――。いや、見えた！

スッ、と小さな灯が、窓の中を動いて行ったのである。

「――どうする？」

「正門からじゃ、入るの大変。裏門から入ろう」

「開いてないよ」

「乗り越えるのよ。決まってるじゃない」

と、由利子はアッサリと言った。

「でも――ばれたらまずいよ！」

旭子は、ついて来ながらも、「私、いやよ！　退学なんかになったら、せっかく高校二年生にまでなったのに……」

由利子は、香子と違って、考える方はあまり得意でない。しかし、やるべきことがはっきりしていれば、ためらったりしないのである。

「ねえ、由利子。よく考えて――」

「あのね、旭子」

と、由利子は言った。「あんた役者でしょ。退学や停学を怖がってて、どうするのよ」

「怖がっちゃいないわよ。でも――」

「人生の経験こそ、役者の財産よ。学校へ、こっそり忍び込んだこともない、なんて、大成しないよ、役者として」

理屈としては、かなり無茶だったが、旭子の一番弱いところは、何せ長い付き合いで、由利子もよく承知している。

「うん。――そうか」

と、旭子は肯くと、「分かった！　やってやろうじゃないの！　何なら学校まで地下道でも掘る？」

「そんな時間、あるわけないでしょ！」

――二人は、裏門へやって来た。

「見て。――開いてる！」

言われなくても、見りゃ分かる。――裏門が開いていたのだ。

「確か、香子の話だと、河辺みゆきはこれを乗り越えて入った、って言ってなかったっけ？」

「よく憶えてない」

と、旭子は肩をすくめた。

「ともかく、入ってみよう」

「大丈夫？　――何か武器、持って来た？」

「持ってないわよ。いくら何でも、向こうだって、機関銃とかダイナマイトなんて持ってないでしょ」

「でも、せめて——斧とか、チェーンソーとか……」

「ホラー映画の見すぎじゃないの?」

と、由利子は言って、中へ入って行った。

校舎へ入る扉も、細く開いている。しかし、人間一人、すり抜けるにはやや細すぎた。——決して二人が太すぎたわけではない!

少し開けると、ガタガタッと凄(すご)い音がして、二人は肝(きも)を冷やした。大した音じゃないが、こんな時には、周囲に響きわたって聞こえる……。

中にいる「誰か」にも、当然聞こえただろう。ゆっくりしてはいられない。

由利子たちは校舎の中へ入り、かすかな非常灯の光の下、まるでトンネルのように見える廊下を見通した。

いつも、大声で笑いながら駆け回っている廊下が、こんな時には、まるで別の世界のようだ。

「どうする?」

と、旭子が訊く。

声まで、ついひそめた感じになる。

「行く……しかないでしょ」

「でも——怖くない？　殺人鬼とか、吸血鬼とか出ない？」

「知るか。出たら、初めまして、って挨拶すりゃいいじゃないの」

正直、由利子だって、あんまりいい気持ちはしない。しかし、もし誰かが本当に忍び込んでいるのなら、早く行かないと、取り逃がすことになるだろう。

「行こう」

と、由利子は言った。「用心して。危険があったら、すぐに逃げるわよ」

「了解。——ね、由利子」

「うん？」

「いざって時は、由利子、放っといて逃げてもいい？」

「どうぞ」

二人は、廊下を進んで行った。

職員室の戸が開いている。——あれは、河辺みゆきが開けて、そのままになっているのかもしれない。

「さっきの光、どの辺だった？」

と、由利子は言った。

「校舎の——真ん中辺りじゃない？」

「だとすると……職員室の辺りか、やっぱり……」

「そうらしいわね」

職員室の中を覗いて、由利子は、ちょっと汗を拭った。やはり緊張しているのである。

「——明かりだ」

と、旭子が言った。

戸棚が一つ、扉が開いていて、その辺が明るい。——しかし、誰かがいるとしても、机のかげになっていて、かがみ込んでいるとしたら、目に入らない。

「——誰かいるの？」

由利子は精一杯、しっかりした声を出したつもりだったが、出た声は情けないくらい、震えていた。

人の気配——誰かが動く気配は、全くなかった。

行ってみよう。——由利子は、ゆっくりと足を運んで、その戸棚へと近付いて行った。

机の所まで来て覗くと——戸棚の前の床に、テスト用紙らしい紙が、散らばって、その上に懐中電灯が、つけっ放しで置かれているのが目に入った。

「何だ」

と、旭子が息をついて、「あれ、河辺みゆきが置いてったままなんじゃないの、きっと」

「さあ……。さっき動いてたのは？」

由利子は、戸棚の所まで行ってみた。

「採点ずみテストだ」

と、旭子がしゃがみ込んで、「私の、ある?」

「そんなもん、捜しに来たんじゃないわよ」

由利子は、周囲を見回した。——気に入らない。

どこかに、誰かが隠れているような気がするのである
「これ、このままにしとく?」

「そうね。——香子が来るわ、その内。それまで手をつけないように——」

と、言いかけた時だった。

ガタッと椅子の一つが動いた。由利子は素早く懐中電灯を拾い上げた。

「誰なの!」

光が職員室の中を走る。黒い人影がダッと戸口へと駆け出した。

「追いかけるわよ!」

と、由利子は駆け出した。

そのとたん——目の前にパッと炎が上がって、由利子は思わず両手を上げて防いだ。

油の匂い! 火をつけて行ったんだ!

火は、たちまち机の間を走って行った。

「旭子!」

大変だ！　火に囲まれる！

「由利子！　どうする？」

「あっちへ！　火の回ってない方へ！」

二人は、職員室の奥へと駆け戻って行った。しかし——火の回りの方が早かった。二人の前に、炎の壁が立ちはだかる。二人は、炎の帯に囲まれてしまっていた。一方は戸棚のある壁。ドアも何もない。

「どうしよう！」

「伏せて！　頭を低く！」

由利子は叫びながらむせた。

職員室には紙が多い。たちまち火の手は天井まで達した。

由利子は焦(あせ)った。このままじゃ、焼け死ぬ！

「突っ切る？」

と、旭子が叫ぶように言った。

無理だ。燃え始めた時なら、炎の中を突破することもできたかもしれない。しかし今は——もうそんな段階じゃない！

「消防車来ないの？」

と、旭子が情けない声を出した。

「そんなにすぐ来るわけないでしょ!」

凄い熱だ。頭を低くして、由利子は咳き込んだ。——どうしよう? 死んでたまるか!

涙が出て来るのを手の甲で拭って、何とかここから脱出する手はないか、と由利子は必死で考えた。

その時——。

「お姉様!」

香子の声だ! 由利子には、それがまるで天使の声みたいに聞こえた。

## 10　突入

「香子！」

「お姉様！　旭子さんも？」

「ここにいる！　逃げられないの！」

と、思い切り叫ぶ。

炎はどんどん広がりつつあった。当然、由利子たちの方へと迫って来ているのである。

「消火栓からホースを――」

と、由利子は叫んだ。

「間に合いません！」

と、香子が叫び返す。「お姉様！　聞こえますか！」

「聞こえるわよ！」

「できるだけ退がって！　壁の所まで退がって下さい！　うつ伏せになって、できるだけ小さくなってて下さい！」

「分かった！」

香子が駆けて行く足音が聞こえた。

「——旭子！　さ、壁ぎわに！」

「どうするつもり？」

「知らないわよ！」

「あ、私のテストだ。ひどい点！」

「放っときなさい！」

二人は、戸棚のかげに身を寄せて、小さくなっていた（といっても、限界はあるが）。

「——香子は？」

「戻って来るわよ、助けに」

と、由利子は言った。

「でも——見捨てて逃げたんじゃない？」

「まさか！　親友を信じなさい」

「信じても、焼け死ぬ時は熱いよ」

そりゃ確かだ、と由利子は思った。

天井が焼け落ち始めていた。その粉が二人にもふりかかって来る。由利子は、あわてて手で払った。

香子、急いでよ！

ドーン、と遠くで何か凄い音がした。

「何かしら？」

「さあ……」

バリバリ、ガチャン、と何かがけたたましい音をたてつつ、近付いて来る。

「あれは……」

と、由利子は言った。「もしかしたら――」

クラクションが鳴った。そして――派手な音と共に職員室の戸を押し倒して、香子の家のベンツが、突っ込んで来たのだ！

「キャーッ！」

と、旭子が悲鳴を上げた。

ベンツの車体が、机を押しのけて、炎を分けて二人に向かって突き進んで来た。

「――お姉様！」

ベンツの屋根に、香子が立っていた。「車の上を！　早く乗り越えるんです！」

「旭子！　行くよ！」

由利子はベンツのバンパーに足をかけ、ボディの上に飛び乗った。

「急いで。――車も燃えてしまいます」

香子が促す。

由利子たちは、ベンツの屋根を越えて、後尾側へと飛び下りた。

「廊下へ、早く！」

「車は？」

「任せて下さい！」

香子が最後に、三人は廊下へ飛び出した。ベンツがエンジン音を響かせてバックして来る。廊下へ後部を突き出して停まると、いつもの運転手が、ドアを開けて出て来た。

「お嬢様、ご無事で――」

「逃げるのよ！」

と、香子が叫んだ。

運転手を加えた四人が廊下を駆けて行くと、ドーン、と太鼓でも打ったような音がして、由利子は振り向いた。

あのベンツが、炎に包まれて、燃え上がっている。

――外へ出て、しばし、誰も口をきかなかった。

いや、きけなかった、と言うのが正しいだろう。由利子と旭子は、激しく咳き込んで、地面に座り込んでしまった。

「――おけがは？」

と、香子も肩で息をついている。

「何とか……大丈夫」

と、由利子が肯く。「あんなことした奴……。見付けて、ぶん殴ってやる！」

「私、けとばしてやる」

と、旭子。

「良かったですわ、間に合って」

「でも……香子んとこの車……」

「車なんて、いくらでも代わりはあります」

香子は、由利子と旭子の肩に手をかけて、「お姉様たちは、かけがえのない方たちですもの」

由利子も胸が熱くなった。——やけどする心配のない、「熱さ」だった。

「良かった」

と、旭子が泣きながら言った。「私、ベンツより高いんだ！」

——消防車のサイレンが、近付いて来るのに、由利子は気が付いた。


やがて朝。——空は少し白み始めている。

煙が、その空へ立ちのぼっていた。

「——もう消えたみたいね」

と、由利子は言った。

「そう広がらなくて良かったですわ」

と、香子が言った。「職員室は、ほとんどだめでしょうけど、他の部分は、そうひどくやられていないようです」

「古いせいで助かったのかもね」

と、由利子は言った。

確かに校舎自体が古いので、壁などが分厚くできているのだ。

「まあ、あなたたち」

と、声がした。

振り向くと——畑中直子である。

「畑中先生……」

「知らせを聞いて、びっくりして……。私が一番早いようね。近くだから」

と、畑中直子は言った。「もう消えたって?」

「そのようです」

と、香子は言った。

「あなたたち、どうしてここに?」

香子と由利子は、ちょっと顔を見合わせた。

「——色々、ややこしいんです」

と、由利子が言った。「危うく、焼け死ぬところで」

「まあ、ひどい！　けが人はでたの？」

「いえ、いないようです」

「良かったわ、不幸中の幸いね。——あ、先生方がみえたようね」

畑中直子が、やって来た車の方へ、急いで行ってしまうと、

「あの先生が……」

と、旭子は言った。

「どうかね。——もし、犯人なら、こんなにすぐ来る？」

「分からないよ、したたかな奴なら」

「うん……」

由利子にも、よく分からなかった。

あの時——誰が職員室から逃げて行ったんだろう？

「そうか」

と、由利子が肯く。

「どうしたの？」

「私に見られたと思ったんじゃない？　それを確かめたかったので、早くやって来たんだわ」

「お姉様のお考えにも、一理ございます」

と、香子が言った。「でも、いずれにしても何の証拠もございませんし」

「そうよね。——警察が調べて、何か分かればいいけど」

「一つ、問題がございます」

「何？」

「河辺みゆきさんのことです。彼女が、忍び込んで火をつけようとしたことを、話したものかどうか……」

「そうね」

由利子も考え込んだ。

「話さなきゃ、私たちが、あそこに行ったことが説明できないよ」

と、旭子が言った。

「分かってるけど……。可哀そうじゃない。やってもいないのに」

「そうなのです」

と、香子も迷っている。「もし、あのことが学校中に知れたら、河辺さんは、たぶん学校にいられないでしょう」

「でも、それを内緒にしておこうとすると、難しいでしょ」

「一つには、逆に利用する手もあります」

「というと？」

「犯人は、河辺さんが来ると思っていたわけです。でも、実際に来たのは、お姉様方でした」

「河辺みゆきの来るのを見ていたかもしれないよ」

「見ていたとすれば、もっと早く、火をつけたと思います」

「そうか。——ずいぶん時間たってんだものね」

「犯人には、河辺さんが何時ごろ来るか、分からなかったわけですから。——夜中に、様子を見に来て、河辺さんが、火をつけていないのを見ます。そして……」

「待って」

と、由利子は言った。「テストの用紙とか、床に落ちてたのよ」

「河辺さんに確かめました。学校を出る時、ちゃんと戸棚の中へしまい込んだそうです」

「じゃ、出したのは犯人？」

「自分で火をつけようとしているところへ、お姉様方が来たんです」

「そういうことか」

「犯人は苛立っているでしょう。しくじったんですから。——ここで河辺さんのことを明るみに出せば、犯人を喜ばせるだけです」

「じゃ、なんて説明する？」

「私どもで打ち合わせておきましょう」

と、香子は言った。

「——あれ、誰だろ？」

と、由利子が目を丸くした。

消防車の向こうから、特大の外車がスーッと近付いて来たのである。

そして、ドアが開くと、

「お待たせいたしました」

と、香子のところの運転手が現われたのである。

「香子！　この車は？」

「うちの車を入れているディーラーを叩き起こしまして、当座、これを借りることにいたしましたので」

と、香子は言った。「今夜はお疲れでしょう。私のせいで危ない目にも遭わせてしまいましたし、償いに、軽いお食事でも」

「レストラン、ついてるの、この車？」

と、旭子が言った……。

さすがに香子の家、と由利子もびっくりしたが、もっとびっくりしたのは——。

「——お姉ちゃん、ちゃんと足、ある？」

と、真由子が車から顔を出したことだった。

「あんた……。何してんの？」

「香子さんに誘われて」

「真由子さんもおいでになった方が、と思いまして」

と、香子は言った。

――車は滑るように走り出した。

ともかく中が広い。ちょっとした応接間という雰囲気。

「――ベンツ、燃えちゃったって？」

と、真由子が訊く。

「そうよ。危機一髪だったんだから」

「ふーん。――こげたとこ、やすりで削ったら使えない？」

「何、せこいこと言ってんの」

「お母さんが心配してたよ」

「そうでしょうね」

「でも、『あの子も火遊びする年齢（とし）になったのね』と感慨深げだった」

分かってんのかね、本当に！

「――真由子さんは、畑中先生のことをご存知ありません」

と、香子が言った。「先生の方も、真由子さんのことはご存知ない。危険はありますが……」

「何でもやったげる」

と、真由子はのんびりと言った。「またベンツ、燃やす？」

「危ないよ」

と、由利子が首を振る。「あんたにもしものことがあっちゃ困る」

「それは同感です」

と、香子が言った。「差し当たり、河辺さんの所へ来た手紙というのも見てみましょう。そこに何か手がかりがあるかもしれません」

車は、明け方の空の下、まだ灯っている街灯の続く道を、静かに走って行った。

# 11　いくじなし

「頭に来た！」

と、由利子が言った。

「そうよ、頭に来た！」

旭子も肯く。

「本当に腹立たしいことですわ」

と、穏やかな言い方ながら、香子も怒っている。

この三人組が怒っているとなると、合わせて相当のエネルギーになると思われる。エネルギー不足の解消にも少しは役立つかもしれない。

しかし、三人とも、「頭に来ながら」しっかりとホームメイドのケーキを食べていたのである。

——あの学校での火事から、一夜明けて今日は日曜日。

くたびれ果てた三人がぐっすり眠っていたお昼過ぎ、刑事たちが、香子の家へやって来て、三人を叩き起こしたのである（由利子も旭子も、ここへ泊まっていたのだ）。

「ゆうべの火事について訊きたい」

という刑事の質問に、香子がスラスラと答えた。

もっとも、河辺みゆきが、火をつけようとして、思い止まった、ということは三人で秘密にしておこうと決めたので、

「夜中に匿名の電話がありまして」

と、香子は説明したのだった。「学校の辺りをうろついている人がいる、と。そこで私どもで見に参ったのです」

「じゃ、三人でわざわざ夜中に？」

と、刑事は信じられない、という様子であった。

「私たちの大切な学校です。もし、何かあったら、と思うと、気が気ではなかったのです！」

香子が言うと、何となく相手を納得させてしまうものがある。

「そこで行ってみると――」

「このお二人が先に着かれて、火に囲まれておりましたので、私がお救いしたのです」

「ベンツを燃やしてね」

「お姉様方のためなら、命でも捧げます」

と、香子は感動的なセリフで決めた。

しかし、刑事の方は、半信半疑という様子で、

「君ら、学校での成績は？」

と、訊いて来た。

「どういう意味ですか」

と、由利子が訊き返すと、

「いや、何ね――」

刑事は曖昧な口調で、「犯人によっちゃ、自分で火をつけといて逃げられなくなる、というドジなのもいるからね……」

「何ですって！」

旭子がカーッと来て、「火に囲まれて、死ぬかと思った、あの気持ちが分かるの？　それなのに、私たちが火をつけた、ですって？　よくも、そんな……そんなこと……」

と、声を震わせるなり、ワーッと泣き伏せた。

「いや、ごめん！」

刑事はあわてて、「そんなつもりで言ったわけじゃ……。もちろん犯人は捜して必ず見付けるから……。ね、泣かないで」

と、なだめるが、旭子は、激しくしゃくり上げるばかり。

「旭子！　ね、気を確かに――」

「もう、だめ……。私は一生……みんなに白い目で見られて生きて行くんだわ……」

と、旭子は途切れ途切れに、涙の合間に言った。

「とても繊細な神経の方なのです」

と、香子が刑事に言った。「これまでにも自殺未遂を三度……。これでもう、立ち直れないかもしれませんわ」

「い、いや——そんなこととは——。本当にその——悪かった！　アメでも買って来ようか？」

刑事も相当に焦っている。

「いいえ。今は、早く犯人を見付けて、逮捕して下さることが、旭子さんを救う、唯一の道なのです」

「分かった。——じゃ、早速その……。きっと犯人は見付けるから、と慰めて……」

ボソボソ言いながら、刑事は帰って行った。そして、旭子は、パッといつもの顔に戻ると、

「ああくたびれた！」

と、声を上げたのである。「どうだった？　私の名演技」

「少々やり過ぎの感もございましたが、大変結構でした」

と、香子は言った。

それにしても——ふざけてる！

というわけで、三人は、

「頭に来た！」

と、怒っているわけである。

多少、寝足りないという事実もあったのだが、ともかく三人とも、その刑事のおかげで不機嫌になったのは事実だった。

「何が何でも、犯人を見付けてやらなくちゃね」

と、由利子は言った。「そう思うでしょ?」

「もちろん」

と、旭子は肯いて、「やっぱり、畑中先生だと思う?」

「可能性はありますが、軽々しく決めつけてしまうのは、良くありません」

と、香子は言った。「――これまでの事件を振り返ってみましょう」

「まず、うちのクラスの草場美里のところへボーイフレンドから、ひどい手紙が来た」

と、由利子は言った。

「その手紙は、犯人が書いたものです。その筆跡を真似するには、その大学生、滝田雄策の書いたものを見る必要があります」

「彼氏のラブレターを、美里は学校で落としたことがある、と」

「それを拾って、美里さんに返したのが、畑中先生だった」

と、旭子は言って、「やっぱり――」

「お待ち下さい。次は、田原貴子さんのお母様、田原寿江様が、マネージャーの飯田さんと密会していらっしゃる写真を、何者かがとったのです」

「うん。そしてスライドにして、本物とさしかえた」

「その飯田さんは何者かに殺されています」

と、香子は言った。「そして、その容疑が、田原さんのお父様にかかろうとしています」

「こうして眺めて参りますと」

と、香子は言った。「これは、単なる、たちの悪いいたずらなどというものでないことが分かります」

「そうね。学校に火をつけるなんて、ただごとじゃないわ」

と、由利子も肯いた。

「何か……よほど強い憎しみを感じませんか。——もちろん、河辺みゆきさんの所へ来たという手紙を見ませんと、はっきりしたことは申し上げられませんけれど」

「やり方もまちまち。狙う対象もばらばらだね」

と、旭子も首をかしげる。

「一つ、忘れてならないことがございます」

「なぁに？」

「おそらく犯人は——飯田さんを殺したのでしょう。つまり、場合によっては、人を殺すことも辞さない、ということです。充分に用心いたしませんと」

香子の言葉に、由利子と旭子は、思わず顔を見合わせたのだった。

「では、出かけましょうか」

「どこへ?」

「もちろん、河辺みゆきさんのお宅です」

と、香子は言った。


河辺みゆきは、やっと昼ごろ起き出して来た。

日曜日で、父も母も出かけている。みゆきはホッとして、神様っているんだわ、などと考えていた。

でも、日曜日にも、嫌いなところが一つだけある。——明日が月曜日だということである。

ともかく——今日一日は平和な気持ちでいられる。差し当たり、みゆきにとっては、それだけでも幸せだったのだ……。

一人でお昼ご飯にチャーハンを作る。こういうことが、みゆきはとても好きだったし、また上手(うま)くできるのである。

ねえ、人間って、一つ取柄がありゃ、それでいいんじゃないの?

お皿に移して食べ始めると、

「うん。——ちょっと塩味がきつかったかな?」

と、自己採点する。

電話が鳴り出したので、立って行く。

「――はい、河辺です。――もしもし？」

何となく、不気味な沈黙があった。みゆきが、

「もしもし、どなた――」

と、言いかけると、

「いくじなし」

と、低く押し殺した声がした。

「え？」

「いくじなしよ、あんたは。いざとなると、おじけづいて。――いくじなし！」

みゆきは、受話器を持つ手が震えた。

「やめて……。だって――だって――いけないことなんだもの……」

「いくじなしなのよ。自分じゃ何もできない、役立たずなのよ」

「やめて！」

と、みゆきは叫ぶように言った。「いくじなしじゃない！　私は――」

「だったら、出ておいで」

と、その声は言った。「近くの公園で待ってるよ。出て来てみな」

「何ですって？」

「怖くて、来られない？　そうだろうね。そこで小さくなって、震えてるんだろうね」

「怖くなんかない！」

「じゃ、待ってるよ。面と向かって、そう言ってみな」

と、低い声で、笑った。

その笑い声は、かすれて、まるでみゆきが子供のころ見たアニメに出て来た、魔女のようだった。

「行くわよ！」

「待ってるよ。——おじけづいたら、来なくたって、いいんだよ」

クックックッと笑い声が遠ざかるようで……。電話は切れた。

みゆきは、体中から汗がふき出しているのを感じて、息をついた。——誰だろう？

いや、分かっていたのだ。あの手紙を書いた誰かだ。

私は——いくじなしじゃない！

みゆきは、居間を飛び出した。そして玄関から、サンダルを引っかけて、外へ駆け出したのである。

——ちょうど、その時、道の角を曲がって、香子の家の「臨時の外車」が、姿を現わした。

「あれ？」

と、旭子が言った。「向こうへ走って行くの、みゆきじゃない?」

「そうね。——何かひどく急いでる」

「ただごとではございませんね」

と、香子は言った。「追いかけて」

「はい」

車がぐっとスピードを上げた。

しかし、何しろ大きな車で、車幅があるので、途中、みゆきが曲がった細い道には入れない。

「追いかけましょう」

三人はパッと車を飛び出すと、みゆきの後を追って、駆け出した。

「——みゆき! みゆき!」

声の大きいのは、やはり役者の旭子の特技である。

みゆきが足を止め、振り返って、三人が駆けて来るのを見た。

「みゆき! どうしたの!」

と、由利子が息を弾ませて、言った。

「私……今、電話が来て……」

みゆきは、体を震わせながら、「いくじなしだって……私……」

と、泣き出してしまった。

「落ちついて」

香子が、みゆきの肩を抱く。「――いくじなしだなんて、とんでもない。火をつけるより、それを思い止まる方が、ずっと勇気のいることなんですよ」

みゆきは、何度も肩で息をつくと、香子の方を見た。――もう、泣いてはいなかった。

「そうね。――そうよね」

と、肯く。

「そうですとも。――電話は誰から？」

「誰の声かは、分からなかったわ。でも、この先の公園で待っている、って言ったの」

「行ってみましょう」

香子が促す。「公園というのは、近いのですか？」

「ええ。すぐそこ――」

と言ったと思うと、公園とも呼べないような、小さな空間に出た。

「空地だね」

と、由利子が言って、見回す。「誰もいないよ」

「そうですね。――少し捜してみましょう」

「OK。旭子、そっちを」

手分けして、近くを見て回ったが、それらしい人間の姿はなく、結局、再び公園に集まることになった。

「私たちのこと見て、逃げたんじゃないのかしら」

と、旭子が言った。

「どっちがいくじなしだ」

と、由利子が言ったので、みゆきが、ちょっと笑った。

「本当ね。——カッとした私が、馬鹿だったわ」

ふと、由利子は眉を寄せて、

「ね、みゆき、今、お宅には誰かいるの?」

と、訊いた。

「うち? 留守よ。私一人……」

由利子と香子は顔を見合わせた。

「戻るのよ! 家に!」

と、由利子が叫ぶ。

ワッと一気にみんなで駆け出した。

みゆきの家まで、ほんの数分だった。車に乗るのも惜しんで、みんな駆けて行ったのだが——。

「鍵、かけて出た?」

「いいえ。ともかくカッとなっちゃって――」

「あの手紙はどこ?」

「私の部屋」

「案内して」

先に立って、みゆきが階段を上って行く。由利子たちもそれに続いた。

「ここよ。散らかってるけど――」

と、ドアを開けたみゆきは、立ちすくんでしまった。

部屋の中は、机の引出しの中身などが、全部ぶちまけられて、すごい有様。

旭子が覗(のぞ)き込み、目をパチクリさせ、「いつもこんなに散らかってるの?」

と、訊いたのだった……。

# 12 名誉の日

充分に用心した。

大丈夫だろう。——田原悟志は、途中、何度も後ろを確かめ、尾行されていない、と確信した。

いや、別に、普段から尾行されているというわけではない。しかし、ともかく刑事は田原に目をつけているのだ。

馬鹿げたことだ！　俺がどうして人殺しなんか……。

もちろん、あの寿江のマネージャーを、好きではなかった。だが、人間、好きでない相手をみんな殺していたら、世の中、殺人だらけになってしまうだろう。

田原当人は分かっている。自分が人殺しなどしていないということは。

しかし——刑事はそう思っていない。

田原は少し苛立っていたが、それを表に出したら負けだ、と思っている。

古びたアパートの二階へ上がると、田原は、ドアの一つを叩いた。

「はい」

すぐに返事があって、ドアが開くと、女の顔が覗いた。「——まあ」

チェーンを外し、

「どうしてここへ——。こんな時なのに！」

「こんな時だからさ」

田原は後ろ手にドアを閉めると、「迷惑か？」

と、訊いた。

女は黙って田原の胸に顔を埋めた。——それが返事の代わりだ。

「——上がって」

と、三宅静代は言った。「何か召し上がる？」

「いや、いいよ。夕飯はすんだ」

田原は、上がると、あぐらをかいた。「——何か、変わったことは？」

「何もないわ。でも——あなたの方こそ大変なのに」

「なに、心配することはないさ」

そうか？　心配だからこそ、ここへ来たのではなかったか。

「誰もかぎつけてない。大丈夫だ」

と、田原は言った。

「ええ……」

三宅静代は、紅茶をいれると、田原のそばに座った。「でも……」

三宅静代は、元、会社で田原の部下だったのである。有能で、骨惜しみせず、よく働いた。ちょうど寿江が急に忙しくなった時期でもあり、田原はふと、三宅静代を「女」として見ていたのである。そして……。

——今、三宅静代は三十歳だ。職場を移り、このアパートで独り住まいである。ごくたまに、田原はここを訪れて来る。あの夜、田原は出張と言って家を出て、ここに泊まったのだ。

「ねえ」

と、静代は言った。「疑われてるんでしょ？」

「僕が？——一時的なもんさ」

と、田原は笑った。

「でも、もし……。一旦逮捕されただけでも、ご家族はショックよ」

「そりゃまあ……」

「私のこと、話して。警察に。そうすれば、アリバイが——」

「むだだよ」

と、田原は首を振った。「どうして今まで黙ってたのか、と訊かれるし、君の証言じゃ、信用されない。同じことさ」

静代は、ため息をついた。

「とんでもないことになったわね」

と、首を振って、「決して、あなたには迷惑かけないつもりでいたのに……」

「君のせいじゃない。悪いのは飯田を殺した犯人さ」

確かにそれはそうだ。でも――。

「ともかく――」

と、静代は言った。「私のことは気にしないでね。いつでも、私の名を出していいのよ」

「分かった」

と、田原は肯いた。「せっかく来たんだ。もっと楽しい話をしようじゃないか……」

――田原は一時間ほどして帰って行った。

静代は、重苦しい気分だった。

田原が静代のことを黙っているのは、もちろん、静代のためを考えてだけのことではない。

妻や子に、「恋人」の存在を知られたくないからである。

それは分かっていても、静代は不安だった。

静代は窓のカーテンを開けた。

田原が帰る時は、いつもここから見送るのだ。

もちろん、とっくに田原の姿はなかった。あるのは夜の道ばかりで……。

静代は、ふと、こっちを見上げている人影に気付いた。誰だろう?

しかし、その人影は、静代が見ていることに気付くと、足早に遠ざかって、すぐに見えなくなってしまった……。

月曜日、学校はもちろん、大騒ぎだった。

——由利子たちが、火に囲まれて、危なかったことも、ニュースなどには出なかったのに、すっかり知れわたってしまっていた。

「髪の毛が黒くなってる！」

なんて、からかうのもいたが、

「大変だったね」

と、大方は心配してくれた。

「でも、やっぱり由利子たちね」

と、妙な納得の仕方をするのもいて、由利子は少し複雑な気分だったのである……。

「——矢吹さん」

と、由利子は昼休み、向井千恵子に声をかけられた。

「はい」

と、立って行くと、

「ちょっと部室へ来て」

バレー部の部長である。由利子は、お弁当を食べかけていたが、素直について行くことにした。

「——座って」

と、向井千恵子は言った。

「何か……」

「武勇伝は聞いたわよ」

と、向井千恵子は楽しげに、「車で突っ込んだんですって？　あなたたち三人組って、本当にユニークね」

「どうも……」

賞（ほ）められているのかどうか、よく分からなかったので、由利子はともかく、そう言っておいた。

「それで、今日来てもらったのはね」

と、向井千恵子は少し改まって、「そろそろ次の部長を決めなきゃいけない時期に来てるの」

「ああ、そうですね」

そう言われりゃ、というところである。

何しろ、おとといは命がけだったのだ。クラブのことまで心配している余裕は、とてもなかった。

「それで――正式には、先生とも相談しなきゃいけないんだけど、先生からは、私が決めろって言われてるのよ」

と、向井千恵子は言った。

「そうですか」

「それでね、あなたに次の部長をやってほしいんだけど」

「え？」

由利子は、別に、びっくりするふりをしたわけではない。本当に仰天したのである。

考えてみりゃ、ここへ呼ばれて、一対一で話をして、話の成り行きからいって、当然こう言われそうだ、と気付いても良かったはずだが、やはり土曜の夜のショックから、抜け切っていないのかもしれない。

ただボーッとしていただけだ、という見方もできるが……。

「私が部長……ですか」

と、由利子は言った。

「いいでしょ？　あなたはエースだし、大変だと思うけど、充分に部長として、やっていけるわ」

「はあ」

「じゃ、お願いね」

向井千恵子が手を伸ばす。——由利子はいつしか、その手を握っていた。

——教室へ戻ると、旭子が、寄って来て、

「どうしたの？　退部？」

と、訊く。

「何で私が退部なのよ」

「何かやらかしたのかと思って」

「これ、内緒よ」

と、由利子は低い声で言った。「次の部長になれって」

「えーっ！」

と、旭子は、教室中に響きわたる大声を出した。

「由利子が部長！」

「内緒だって言ったでしょ！」

と、由利子は真っ赤になって、言った。

「でも、凄いじゃない！　おめでとう」

教室内でガヤガヤやっていた子たちも、口々に、

「おめでとう！」

「——お姉様」

例によって、香子は、いともていねいに、「おめでとうございます」

「まだ早いのよ」

と、さすがに由利子も照れている。「お祝いはどこでやる？」

結構図々しいところもあるのである。

するとそこへ、

「先輩」

と、やって来たのは、田原貴子だった。

「まあ、どうしたの？」

「あの——次の部長、おめでとうございます……」

「何が、もう一年生にも話が行っちゃってるの？」

「あの——実は——」

「何かありましたか」

と、香子が訊く。

「実は……。父のことなんです」

「お父さん、逮捕でも？」

「いえ、それはまだです。ただ……」

と、貴子は、ためらった。

「どうしたの？」

「父に……女の人が」

と、小さな声で言う。

「当然予想されたことです」

と、香子が言った。「それで、警察の方が何か？」

「ええ」

と、貴子は肯いて、「私と母に、そのことを教える電話があったんです」

由利子たちは、間違いない、と思った。

犯人は、また動き出したのだ。

# 13　許し合う夜

「見てよ」

と、由利子が週刊誌を香子と旭子の方へ投げ出した。

「どうしたの？」

と、旭子が言った。「由利子の不倫のニュースでも出てる？」

「結婚もしてない私が、何で不倫するのよ」

と、由利子が顔をしかめた。

「そうね。それに、たとえ不倫したって、週刊誌にのるわけないか」

「私たちみたいな無名の人はね。でも……」

「田原さんのお父様のことですね」

と、香子が言った。

「両方よ。——〈教育評論家夫妻の華やかな男女関係！〉ですって。人のこと、放っとけって。大きなお世話だ」

——由利子は一人で腹を立てていた。

また週末がやって来ている。今日は金曜日。

由利子と旭子は、いつもの通り（？）香子の家に集まって、共同で宿題をやっていたのである。

「本当だ」

と、旭子が週刊誌をめくって、「しっかり出てるじゃない。あの講演の時のスライドの一件まで」

「ねえ。――そりゃ、貴子のお母さんは有名人だし、ある程度騒がれるのは分かるよ。だけど、お父さんは普通のサラリーマンじゃない。何でこんな風に悪者扱いされなくちゃいけないの？」

「お姉様のおっしゃる通りですわ」

と、香子が肯いて、「日本のマスコミには、もう少し志を高く持っていただきたいものです」

まあ、由利子だって、田原寿江や、その夫のことを、直接知る機会がなかったら、結構面白がって、この記事を読んでいたのかもしれないのだ。

そう考えると、由利子も、読者たる自分の方にも反省すべき点がある、と思わざるを得なかった。――人間は、自分に火の粉がふりかからない限り、「野次馬」でいるものなのである。

「でも、貴子のお父さん、まだ捕まってないわね」

と、旭子が言った。

「警察としても、動機だけでは、そこまで踏み切れないのでしょう」

「アリバイもないんだよ」

と、旭子が言った。

「あんた、逮捕させたいの？」

「そうじゃないけどさ、本人もいやな気分だろうな、と思って」

「それは確かね」

と、由利子も肯いた。

なぜか、ソファに寝そべった格好で、宿題をやりながら……。

「お姉様は、また休憩でいらっしゃいますの？」

「何よ、皮肉？　年上の人間はね、疲れやすいの」

年上ったって、ほとんど違いやしないのである。

「あと三十分頑張られては？　宿題を終わらせることは、充分に可能と存じますが」

「だめだめ。そんなファイトないよ」

と、由利子は手を振って、「あと三時間だなあ」

「三十分で終わります」

「終わらせたら、何かいいことがあるわけ？」

「麻布のイタリアレストランを予約してございます。あまり予約時間に遅れるようですと、キャンセルしなくては……」

由利子、ガバと起き上がって、

「三十分よ、旭子」

「あいよ」

二人の目がらんらんと輝き始めていた……。

で、結局——二十分で宿題は終わっちまったのである。

まあ、人間、やる気になれば、たいていのことはできる、という簡単な真理の実例を作ったわけだ。いや、むしろ、二人の食欲がいかに盛んかを示しただけなのかもしれない……。


レストランに入って行くと、年輩のマネージャーらしい男が、

「いらっしゃいませ弘野様」

と、香子に微笑みかける。「お待ちしておりました」

「私のこと、待っててくれる人なんかいないわ」

と、旭子が妙なところですねてブツクサ言っている。

「先におみえでございます」

「ありがとう」

「こちらへどうぞ。いつもの個室を、ご用意してございます」

「——先におみえ、って？」

と、旭子が由利子に小声で訊く。

「知らないわ」

肩をすくめて、とにかく香子の後について行くと……。

「──おいでになりました」

と、マネージャーがドアを開けて、言った。

由利子は、中へ入ってびっくりした。

個室のテーブルについている三人。──田原夫婦と貴子である。

「お呼び立ていたしまして」

と、香子がホストの席についた。「では、先に何かお飲み物を」

田原悟志と寿江は、さすがに何となく目を合わせるのを避けているようだった。貴子が、気が気でない様子で、父と母を交互に見ている。

「──では、乾杯を」

飲み物のグラスが行き渡ると、香子が言った。

「でも──何に乾杯するの？」

と、貴子が言うと、香子は笑顔で言った。

「乾杯は乾杯で、それ以上のものではございません。私どもは、ただ、おいしいものをいただくためにここへ来ているのですから、何も考えることなんかございませんわ」

何となく、香子の言葉でホッとした空気が流れた。そして、田原も、妻の寿江も、おいしそうにカクテルのグラスを空にして、食事は始まったのだった。

——由利子は、たっぷりと食べた。しかし、同時に、おいしいものを食べながら、

「こりゃ旨い。——材料がいいね」

と、田原悟志が言えば、

「でも、こんなソースはとても作れないわよ。すばらしい！」

と、寿江が答える、といった具合に、ごく自然に二人が対話を始めているのを、眺めていた。

貴子も、食べながら段々安心感が増して来たようで、

「これ、私の好み！　お父さんのちょうだいね」

「おい！　取るのなら母さんのを取れ」

「いやよ、あげるもんですか」

——三人で笑ったりしている。

由利子は、香子の考えがどこにあるのか、何となく分かって来た。

田原夫婦は、お互いに打ちとけたいのだ。ただ、問題は「きっかけ」なのである。香子は、巧みにその「きっかけ」を作ってやったのだった。

「——やあ、満腹だ！」

と、田原が言って、「ズボンのボタンが飛びそうだよ」

「あなた」

と、寿江がにらむ。

「いや、全く……。君らのような若い人たちにまで心配をかけて、申し訳ない」

少しワインで酔ったせいもあるのか、田原は深々と頭を下げた。

「本当よ」

と、貴子が言った。「子供にあんまり心配をかけないでよね」

寿江がちょっと笑った。そして、

「私には、あなたを責めることはできないわ。私だって――」

「いや、寿江。我々を責める資格があるのは、貴子だけさ。そうだろう?」

「ええ。その通りだわ」

寿江は肯いた。

「――では、デザートにいたしましょう」

と、香子が言った……。

「――お父さんとお母さんにも弱味があるんだからね」

と、貴子が、紅茶を飲んでいる時に、言った。「私の要求も聞いてもらおう」

「怖いことを言うなよ」

と、田原が情けない顔で貴子を見た。「何がほしいんだ?」

「恋人」

「何だって？」

「冗談よ」

と、貴子は笑った。「今夜は外泊しますからね。よろしく」

「まあ」

と、寿江が不安げに、「まさか、男の子と……」

「香子さんの家よ。ご心配なく」

「それを先に言ってよ」

と、寿江が微笑した。「でも、弘野さん、そこまでご迷惑を——」

「いえいえ。余分な部屋はいくらでもございますので」

「明日、学校があるんだろう」

「ちゃんとご一緒いたしますので」

と、香子が言った。

「じゃあ……。弘野さん、よろしくお願いいたします」

と、寿江が頭を下げた。

——レストランを出て、由利子たちは香子の車に、田原夫婦は、店で呼んでくれたタクシーに乗って別れた。

香子の家の車は、あの燃えてしまったベンツの、さらに新しい型で、中の装備も前以上だった。

もちろん由利子たち三人組に、貴子も加えて四人乗っても、少しも窮屈ではない。

「――やれやれ」

と、貴子が言った。「大人は手がかかる」

由利子たちがふき出した。

「まあ、大人になると、面子(めんつ)とかプライドとかに、こだわるようになるからね」

と、旭子が言った。

「たいていは、ただの意地なのですけどね」

と、香子が肯く。

「意地と見栄」

由利子は手厳しい。「それさえなきゃ、世の中平和だよ」

「お姉様のお言葉にはいつも深遠なる真理が秘められておりますわ」

と、香子が微笑んだ。

「――お父さんとお母さん、うまく仲直りするかなあ」

と、貴子は窓の外を眺めながら言った。

「後は当人たちに任せるしかないよ」

と、由利子は言って、「ね、明日の帰り、みんなで映画見に行かない？」

——貴子が外泊したかったのではない。

香子が、

「今夜、お二人だけにさせてあげましょう」

と、提案したのである。

何もかも許し合いたくなる日というものがある。——うまくそういう瞬間を捕まえれば、素直に仲直りができる。

たぶん、今夜が田原夫婦にとっては、そんな夜になるだろう。——由利子たちは、そう期待していた。

「お世話になりました」

三宅静代は、アパートの中で、比較的親しくしていた奥さんの所へ挨拶に行った。

「また急だったわねえ」

と、その奥さんは玄関先で、「近くへ来ることがあったら、寄ってちょうだいな」

「ありがとうございます」

と静代は、精一杯、笑顔を作って見せた。「故郷で母がどうしても戻って来い、というもんですから。もう母も大分老け込んでいますので」

「大変ね。あちらで、いい人でも見付けてね」

「そううまく行くといいんですけど」

と、静代は笑った。「じゃ、夜行で発(た)ちますので」

「後のことは、ちゃんとやっとくから、心配しないで。元気でね」

「ありがとうございます」

静代は、くり返し礼を言って、部屋へ戻った。

もともと大した物のないアパートの部屋の中は、今、さらに閑散としていた。――あまり仲は良くなかったが、隣りの部屋に親子三人で住んでいる一家が、静代の使っていた家具とか、雑貨類をほとんどもらって行ったのである。

静代にとっては身軽になっていい。

「さあ……。行かなきゃ」

と、静代は自分へ言い聞かせるように、声に出して言った。

――田原には一言も言っていない。

突然姿を消してしまったら、田原はびっくりするかもしれないが、しかし、これが一番いいのだ。

田原に、これ以上迷惑はかけられない。それに――静代自身、このままでいつまでも続けてどうなるのか、という気持ちもないではなかった。

田原にせめて手紙の一本でも、とも思ったが、やめておいた。未練がましいことはやめよう。きっぱりと過去と手を切るのだ。

スーツケースと、小さなボストン一つ。

それだけが、静代の全財産である。

——静代に、別れを決意させた、直接のきっかけは週刊誌の記事だった。

田原寿江だけでなく、夫の方にも恋人がいる。——記事は、その名こそ突き止めていなかったが、会社にいたころから、静代と田原の仲を知っていた女性は何人かいる。遠からず、静代の名を上げられることになるだろう。田原のアリバイのために——あの、寿江のマネージャーが殺された一件についてだが——名前を出されるのならともかく、単にマスコミの好奇心のために二人の関係を暴かれるのは、堪えられなかった。

だから、一日も早くここを出て、故郷へ帰ろうと思ったのである。

——さあ、もう行かなくちゃ。

静代は、部屋を出て、階段を下りて行った。

もう夜になって、辺りはすっかり暗い。

広い通りへ出てタクシーを拾おう。列車の出る時間までには、ずいぶん余裕がある。

スーツケースを持ち直して歩き出した時だった。どこにいたのか、スッと寄って来た男がいる。

びっくりして足を止めると、

「三宅静代さんですね」

と、訊いて来た。

「ええ……。どなた?」

「〈週間B〉の者です。教育評論家の田原寿江さんのご主人と、あなたは関係がありましたね?」

静代は青ざめた。——もっと早く出ておけば良かった!

「何もお話しすることはありません」

と、静代は言って、足早に歩き出した。

しかし、記者の方は、一緒に歩きながら、

「分かってるんですよ。元、お勤めになってた所で、ちゃんと聞いて来ました」

「そうですか」

「事実を認めるんですね?」

「いいえ、何も認めません! 放っておいて下さい!」

叫ぶように言って駆け出す。しかし、何といっても、スーツケースをさげてのことで、とても男の記者を振り離すことはできなかった。

「写真を一枚! いいですね?」

「やめて下さい！」

大声で言った時には、パッとフラッシュが光っていた。

「何するんですか、勝手に――」

スーツケースを放り出して、静代は夢中で食ってかかった。

しかし、記者の方は、もう用はすんだとばかりに、駆け出して行く。

「待って！　――写真はやめて！」

追いかけようとしたが……。とても無理な話だった。

息を切らして、足を止めると、静代はその場に膝をついてしまった。――最悪だ。

あの人はきっと、私のことを恨むだろう。いくら、私はいやだと言った、と説明したところで……。結果は同じだ。

静代は、よろけながら立ち上がると、引っくり返っているスーツケースの方へと、力ない足取りで戻って行った……。

車のライトが近付いて来た。振り向くと、その車は、静代のそばで停まった。

ドアが開いて、

「乗って」

運転していたのは、若い女性だった。

「え？」

「三宅静代さんでしょう？」

「そう……ですけど」

「乗って下さい。カメラは取り上げました」

その女は、あの記者の持っていたカメラを見せた。そして裏蓋を開けて、フィルムを引っ張り出すと、外へ投げ捨てたのだ。続いてカメラそのものも。

「さあ、どうぞ」

と、女は促した。「スーツケースは後ろへ」

静代は、ほとんど無意識の内に、その女の隣りに座っていた。

車が走り出す。静代は、

「どこへ行くんです？」

と、訊いた。

「あなたの愛している人の所です」

と、女は言って、車のスピードを上げた……。

# 14 危険な刃

香子の家のベンツは、都心のホテルの正面玄関に着いた。

「――映画じゃなかったの？」

と、旭子が目をパチクリさせている。

「映画は、ここの後です」

と、香子は言った。

「お昼は食べたじゃない」

「食べること以外、考えられないの？」

と、由利子がからかう。「今日の午後二時からね、ここの一室で、貴子のお母さんが記者会見を開くのよ」

「へえ。早くそう言ってくれりゃ、ちゃんとメーキャップして来たのに」

「旭子が出るわけじゃないでしょ」

「お父さんも来てるはずだわ」

と、貴子は言った。「きっと凄くあがると思うわ、お父さん」

「私が代役やろうか？」

「いくら旭子でも、中年男性にゃ見えないわよ」

四人は、ホテルのロビーへと入って行った。

「――ええと、場所は、と」

由利子が、ホテルの玄関を入ってすぐわきの〈本日の催し物〉というパネルを見に行った。

「――これだ。〈田原寿江記者会見〉。三階の〈花の間〉だわ」

由利子は、戻ろうとして、目の前に立っていた女性とぶつかってしまった。

「ごめんなさい！」

「いえ――」

ハンドバッグをとり落としたその女性は、急いでかがみ込んだ。バッグの口が開いて、中の物がいくつか飛び出している。

「すみません」

と、由利子が手伝おうとすると、

「いいの！　放っておいて！」

と、叱りつけるような声で言われてしまった。

「はい……。どうも……」

由利子は、香子たちの方へと戻った。

「――ぼんやりしてるからよ」

と、旭子がからかう。

「〈花の間〉よ。三階」

エレベーターの方へ歩きながら、由利子は、香子の方へ、低い声で言った。

「あの女、おかしいわ」

「どうかなさいましたか」

「バッグから飛び出した物を、あわててしまってたけど、中にカミソリがあったわ」

「カミソリ？」

「刃の長い、床屋さんで使うような。普通、持って歩かないんじゃない？」

「そうですね」

香子は、振り返った。

その女の姿は、もう見えなくなっていた。

――〈花の間〉は、さほど広くないこともあって、TVレポーターや、記者、カメラマンでごった返していた。

「凄い人気ね」

と、旭子が目を丸くして、「私、歌でも歌っちゃおうかな」

「救急車が迎えに来るよ」

と、由利子が言った。

「しっ」

と、香子が言った。「始まるところですわ」

殺された飯田の後に、寿江のマネージャーをやっている男が、マイクを手にして、口を開いた。

「本日は、突然のことで、大変恐縮です。大勢お集まりいただいて、田原寿江も、大変喜んでいることと思いますが……」

「離婚ですか?」

と、気の早い記者の声が飛ぶ。

「いや、その点は今、当人からお話しします。ご質問はその後で——」

マネージャーは早くも汗をかいている。

注目の中、田原寿江が姿を見せた。一斉にカメラのシャッターが切られる。

貴子は、気が気でない様子で、母親を見守っている。

席についた寿江は、まず、

「この度は大変お騒がせいたしました」

と、軽く頭を下げ、「色々ご心配をいただきましたので、私自身が、事実をお話し申し上げたいと思います」

寿江の態度が、誠実そのものなのは、誰にも分かった。初めはざわついていた会場も、次第に静かになって行った……。

寿江は、元のマネージャー、飯田と一時関係があったことを認め、さらに学校での出来事も隠さず話した。

飯田が殺された事件については、全く係わりがない、と強調しておいて、

「警察では、一時、私の夫を犯人ではないかと思っていたようです。けれども、そんなことはあり得ません。夫は、私を許してくれていました。この事件をきっかけに、私は夫がどんなにすばらしい人かを、改めて知らされたんです」

寿江の口調はきっぱりとしていた。

由利子は、香子が軽く腕をつつくのに気付いた。

「ん?」

「反対の端に立っている女性……。さっきのカミソリを持っていた方では?」

由利子が目をやる。なるほど、確かにそのようだ。

「どうする?」

「あちらへ。――気付かれないように、静かに」

由利子が先に立って、記者たちの後ろを回り、その女性に近付いて行く。

再び、部屋の中がどよめいた。田原悟志が、固い表情で現われ、妻の隣りに腰をおろしたのである。

「私は――ええ――寿江の夫、田原悟志であります」

と、まるで演説でもするみたいに始めた。

由利子は、その女性が壁にもたれて、じっと田原悟志を見つめているのに気付いた。どこか、哀しげに見える。それでいて熱い視線。

これはただごとじゃないわ。――由利子はその女性へと近付いて行こうとした。

すると、その女性は、居並ぶカメラマンたちの間を縫って、前へと進んで行ってしまったのである。

――田原悟志は、やや落ちついて来た様子で、自分が、妻の多忙の間に、ある女性と親しくなっていたことを認めた。

「彼女には何の責任もないことです。すべて、非は私にあります。どうかお願いしたいのです。彼女が誰なのか、どこにいるのか、調べるのはやめていただきたい。そっとしておいてやって下さい。彼女を傷つけるに忍びない、と言うのは、身勝手でしょうが、しかし、私が彼女にしてやれるのは、それしかないのですから」

「どうか、私からもお願いします」

と、寿江が頭を下げた。「私たち夫婦は、互いに許し合って、もう一度やり直すことにしました。結局、その女性だけが傷つくことになります。どうか、そっとしておいてあげて下さい」

——由利子は、いいカットをとろうとするカメラマンたちに邪魔されて、なかなか前へ進めなかった。

合間から覗くと、あの女が、バッグを開け、そっとカミソリを取り出すのが見えた。

危ない！

しかし、大声を出せば、却って混乱して、女に近付けないだろう。

由利子は必死にカメラマンの間をかき分けて行った。

「——お二人の写真を」

と、マネージャーが言うと、カメラマンたちが一斉に夫婦の前に集まる。

女が、カミソリを握りしめた。——由利子は飛び出そうとして、椅子にぶつかった。

派手な音をたてて椅子が倒れる。みんなが振り向いた。

「危ない！」

と、由利子が叫んだ。「その女——」

田原がハッと立ち上がった。

「静代！」

女が田原の前に飛び出す。そしてカミソリを自分の左手首へ押し当てて——。

ヒュッと音がした。飛んで来たのは、万年筆だった！

「アッ！」

静代の手からカミソリが落ちた。しかし、刃は左手首に浅い傷を作って、血が一筋、流れ落ちる。

香子が椅子を飛び越えて、駆けて来ると、素早くカミソリを拾い上げ、静代の腕をとった。

「さあ、こっちへ！」

しかし、静代は、急に体の力が抜けてしまったかのようで、その場に崩れるように倒れてしまったのだった。

# 15 痛かった由利子

「すべて私の責任だ……」

と、田原悟志は重苦しい表情で言った。「どうしたらいいんだ……」

「あなた、しっかりして」

田原寿江が、夫の肩に手をかける。「この女、けがをしてるけれども、大したことなくすんだじゃないの」

「そうですよ」

と、由利子は肯いて、「いい方にとらなくちゃ、何事も」

「のんびりしすぎってこともあるんじゃないの、由利子の場合は」

と、旭子がからかう。

「悪かったわね」

「――お姉様」

香子は、ソファに横になっている三宅静代の上にかがみ込んで、「様子が変ですわ」

「変って?」

「気を失っただけじゃないの?」

旭子が覗き込む。

「それにしては、いつまでも意識を失ったままです」

香子は、三宅静代の手首で脈を診た。「――少し弱い感じですね」

「どうする？」

由利子もそばへ来て覗く。

田原夫婦が記者会見を開いたホテルの一室である。

何しろ「記者会見」の席での出来事なのだから、一時は大騒ぎになったが、そこは香子が巧みにホテルの従業員を使って、記者たちを全然別の方向へ連れ出してしまって、何とかおさまってしまったのである。

「どこか具合でも良くないのかな」

と、田原が心配そうに言った。

「ともかく、妙なところがございます」

と、香子は言った。「お姉様」

「あいよ」

「ホテルの支配人を呼んで、この近くの病院へこの人を運ぶように言って下さい」

「支配人を呼ぶの？」

「私の名前をおっしゃって下さい」

「了解」

香子の名前を出すと、たいていのことは通ってしまう。大したものである。

「——気の毒に」

と、寿江が言った。「よほど思い詰めていたのね」

「僕が悪いんだ」

「そう、あなたが悪いのよ」

と、寿江は言って、夫の肩に手をかけた。「この人が立ち直るまで、ちゃんと見守ってあげて」

「寿江……」

「私も、できるだけ力になるから」

と、寿江は言った。「——私、講演の仕事が入ってるの。もう出かけなくては」

「後のことはご心配いりません」

と、香子が言った。

「ありがとう。——色々お世話になるけど、よろしく」

「はい」

「あなた。この人についていてあげて。いいわね」

「分かったよ」

と、田原は肯いた。

寿江が部屋を出て行くと、

「奥様はすっかり立ち直られましたね」

と、香子は言った。

「ああ……。大した奴だ。とてもかなわないよ」

と、田原は、ちょっと笑った。

とてもいい笑いだった。

由利子が戻って来て、

「今すぐ、車を用意してくれるって」

と、顔を出した。

「では、こちらも用意をいたしましょう」

田原は不安げに、三宅静代の傍らへかがみ込んだ。

「しかし――こんなことをするとは思ってもいなかった」

「もしかすると、ご自分の意志ではないのかもしれません」

香子の言葉に、田原は目を丸くして、

「どういう意味かね、それは？」

「病院で詳しく検査してもらう必要があるかと存じます」

香子はそう言っただけだった。

「――や、どうも」

ホテルの支配人が、ドアを通れないかもしれない（というのはオーバーだが）巨体を見せて、

「お嬢様、いつもどうも――」

「この人です。車へ運ぶのに人手を」

「力のあるのを四、五人、連れて来ました」

「結構ですわ。それでは」

――ホテルの備え付けの担架にのせられて、三宅静代は部屋から運び出された。

「あまり人目につかない方がよろしいでしょう。こっちの裏手の方へ」

支配人の巨体では、「人目につかない」のは無理だろうが……。

通用口の近くへ来て、一旦、担架はソファの上におろされた。

「今、車をこっちへ回させますから」

と、支配人は駆けて行く。

「あれでも走れるんだ」

と、由利子が言ったので、ホテルの人がドッと笑った。

「由利子、失礼なこと言って！」

と、旭子がつつく。

「私は素直に心の中を言葉にしただけ」

由利子がやり返す。

——誰もが、通用口の方へ顔を向けていた。そして、三宅静代はもちろん眠り続けていたのだが……。

ふっと、香子は背後に人の動く物音を聞きつけて、振り向いた。——担架は空っぽだった!

「静代さん!」

と、香子が叫んだ。

三宅静代が目の前のエレベーターの中へ消えるところだった。香子が駆けつけたが、一瞬の差で間に合わず、扉は閉じてしまった。

「どうしたの?」

と、旭子が目を丸くしている。

「地下へ向かってますわ」

「駐車場だ」

と、ホテルの男たちも寄って来る。

「階段は?」

「その扉の向こうです」

「急いで!」

と、香子は言った。「手分けして捜すんです！　あの人の命にかかわります！」

「は、はい！」

ホテルの男たちがあわてて駆け出す。

「私たちも――」

「どうして？」

「旭子さん、田原さんとお二人でここへ残って下さい」

「彼女が、もしかするとここへ戻ってくるかもしれません」

「分かったわ」

「しかし、どうして一人で下りて行ってしまったんだろう」

と、田原は唖然としている。

「ご自分でも分かっていらっしゃらないのだと思います」

と、香子は言って、「お姉様」

「行こう！」

二人は、重い扉を開けると、非常階段を駆け下りていった。

駐車場といっても、地下三、四、五階の三フロアもあり、しかも大変な広さ。

車がズラッと並んでいて、ここで人一人見付けるのは容易ではない。

「どこにいるんだろ」

と、由利子は言った。「大体、何でこんなことするわけ？」

「ご当人にお訊き下さい」

と、香子は素っ気ない。「お姉様は右へ、私は左へ参ります」

「いいけど……。見付けたらどうするの？」

「叫んで下さい」

「あ、そう」

由利子は少々面白くなかった。——香子の言い方には明らかに（由利子の勝手な思い込みかもしれないが）、「あんたみたいな馬鹿には説明してもむだよ」というニュアンスが感じられたからである。

「ま、私もひがみっぽくなったのかしらね」

と、由利子は呟いた……。

ガランとした駐車場。——夜にでもなれば、宴会の客などで車も一杯になるのだろうが、今のところは三分の二ほどが埋まっているだけだ。

「あ、あの車、マセラッティだ。——うん、私はポルシェの方がいいけど」

何をやってるのやら。——これでは、香子に何か言われても仕方ないかもしれない。

見付けたら、と言われたってね……。こんな広い所で、あの女性を見付けようっていうんだから。太平洋で落としたコンタクトレンズを捜すようなもの——というのはオーバーか。

それにしても……。妙な女だわ。

人の目の前で自殺しようとして。当てつけかしら？

気持ちは分かるけど、愛した人に迷惑をかけたくない、っていう風には考えないのかしらね？　由利子は、まだ今のところ本格的初恋（？）に恵まれていないので、そんな風に考えるのかもしれないが。

私なら、人知れず命を断つわね。そして、後で恋人の所へ化けて出てやる！

——由利子も、あんまり悟り切っているとは言えないようである。

「——いないじゃないの」

駐車場の端まで来て、由利子は肩をすくめて戻りかけた。

ベンツにキャデラック……。大きいなあ。我が家じゃ、車の方が大きい「家」を持つことになりそうね、こんな車を買ったりしたら……。

そして、由利子は足を止めた。

今——誰かいた？

何だか、目の端の方に、人の姿が映ったような気がしたのである。でも——錯覚かしら？

どこにいる？　どこにも女の姿なんて……。

「——いた！」

と、由利子は言った。

あの女——三宅静代だ。しかし、妙な所に……。何してるんだ？　車の上で。

三宅静代は、停まっているキャデラックの屋根の上に立っていたのである。

由利子はポカンとして、叫ぶのを忘れていた。三宅静代は、まるで夢遊病の患者、という様子で、車の通る通路に向いて、立っている。

「あのね——」

と、由利子は声をかけた。「そこから下りた方が……。足が滑って危ないですよ」

しかし、静代には全く聞こえていない様子だった。

その時、車の音がした。カーブを曲がって、車が一台やって来る。ライトが点いて、その光のせいで、どんな車か、誰が運転しているのか、由利子には見えなかった。

すると、キャデラックの上の静代が——前へ進んだ。そして、まるで水泳の飛び込みの時のように、上半身をかがめて、少し身を低くし、構えたのである。

ちょっと！　何すんのよ！

車が近付いて来る。——由利子にも分かった。

三宅静代は、車の前に飛び込もうとしているのだ！

「香子！」

由利子は叫んだ。しかし、間に合わない。

由利子は飛び出した。

「やめなさい！」

と、叫びつつ……。

同時に静代の体が宙へ飛んだ。まるで、コンクリートの床がプールの水だとでもいう様子で。

「ヤッ！」

由利子は静代が飛び下りて来るところへ体ごとぶつかった。はね飛ばされて静代は先の方まで転がって行く。

由利子は凄い衝撃を受けて、コンクリートの床へ腹這いに倒れた。

「痛い……」

車が来る！　必死で体を起こそうとしたが、静代の体をもろに受け止めた背中が刺すように痛んだ。

動けない！　車が来る！　——ひき殺されるんだ！

神様！　せめて次のテストまで……。テストの前の日まで生かしといて下さい！

「タアッ！」

香子の鋭い気合いと共に、由利子の体は宙を舞っていた。

そして——由利子はコンクリートの床の上に、ドシン、とお尻からもろに落下。

「ウーン……」

と呻いて、気絶しちゃったのである。

「──由利子」

と、旭子が覗き込んで、「生きてる?」

「何とか……」

由利子は、ソファにうつ伏せになっていた。

三宅静代を受け止めた背中と、香子に投げられてぶつけたお尻。どっちも痛くて、仰向けに寝ていられないのである。

「苦しい……。水……」

「はい、水ね」

「あんたね……。『水』と言われたら、ジュースぐらい持っといで」

と、由利子は文句を言ってやった。

ドアが開いて、香子が入って来た。

「お姉様、お加減の方は?」

「生きてるのが不思議」

「でも、見たところ、どこも骨折はいたしておりません」

「骨が折れてなきゃいいっての?」

と、由利子がかみつきそうな口調で言った。「大体、いくら私が車にひかれるのを避けるためだって、何もあんな勢いで放り投げることないでしょ。車の方を投げりゃいいじゃないの」

無茶を言っている。香子は微笑んで、

「でも、さすがにお姉様ですわ」

と、やさしい声で言った。「命を捨ててもあの気の毒な人を守ろうとなさるなんて！　私、お姉様への尊敬の念を一段と深くいたしました」

「それ、追悼の言葉？」

と、由利子は言った。

「全快の折りには、みんなでお姉様のお好きなものを食べに参りましょう」

フン、何でも食いもんでつりゃ、すむと思って！　由利子はプイとそっぽを向いて、

「痛い……」

と、呻いた。「――デザートはティラミスよ！」

やっぱり食べものが効くのかもしれない。

「――あの人、どうしてるの？」

と、旭子が訊いた。

「今、病院です。あの人、麻薬のせいで、自殺するように暗示をかけられていたのですわ」

「暗示？」

「ですから、車の前へ飛び込もうと――。犯人はあの車で、ひき殺そうとしたのです」

「ひどい奴ね！」

「旭子は何も『ひどい』目にあってないじゃないの」

由利子はブツブツ文句を言っていた。

「おそらく、意識が戻っても、あの人は何も憶えていないでしょう」

「犯人のことを？」

「ええ。――あそこまでして、田原さんのお宅を不幸に陥れたかったのです」

「そうか……。田原さんも、目の前で彼女が自殺したらね」

「これから、どうするの？」

と、由利子は言った。「私、もう動けないわよ」

「ちゃんと代役を志望されている方がおられます」

「代役？　そんな馬鹿がいるの？」

「――悪かったね、馬鹿で」

ヒョイ、と顔を出したのは、妹の真由子。

「真由子、あんた――」

「どう、お姉ちゃん！」

真由子は、ポン、と姉の背中を叩いたのだった……。

# 16 真由子の出動

終電車は終わった。

もう、帰りたくたって帰れないんだ。——夜の町には何となくホッとした空気が流れている。

ホッとした、というのも妙かもしれないが、やはり誰しも、遊んでいる人間たちの中には、多少の「後ろめたさ」が潜んでいて、電車がなくなることで、

「もうくよくよ考えてもしょうがないんだ！」

と、吹っ切れるのかもしれない。

いずれにしても、さあ、これからもう一遊び、という様子で、急にみんな明るくなり始める……。

「——おい」

と、声をかけられて、歩道の敷石にぼんやり腰をおろしていた少女が振り向く。

「タバコ、喫うか？」

「ありがと」

ライターで火を点けてもらって、少女はゆっくりと煙を吐き出す。

「慣れてるんだな」

と、その男は、少女と並んで腰をおろす。

どう見ても、十四、五歳の女の子。男の方は三十そこそこか。一応、サラリーマンらしい格好をしている。

「何してんだい?」

と、訊かれると、少女は、肩をすくめて、

「タバコ喫ってる」

と、答えた。

「確かだな」

男は笑って、「どこか行くあて、あるのか?」

「行かなきゃいけないこともないじゃない」

少女は、とらえどころのない感じで言った。

「なあ」

「何よ」

「朝までどこかに付き合わないか?」

「――面白い?」

「君次第だな」

「お金になる?」

「そんなに高くなきゃ、払う」

少女はちょっと笑った。

「相場なんて知らないよ」

「じゃ、その時の気分ってことにするかい？」

「うん……。どうせ始発まで、ヒマだしね」

「僕もさ」

「いいとこ、知ってる？」

「任せろよ。この辺は詳しいんだ」

つまらないことに詳しいものである。

男が少女の腕を取って歩き出すと、目の前に一人の女性が立った。

「ちょっと、どいてくれよ」

と、男が言うと、

「この女の子はあなたの何？」

と、その女が訊いた。

「何だ。関係ないだろ、あんたにゃ」

「分かってるの？　その子はどう見ても十四、五よ」

「だから――」

男は急に用心深い目つきになって、「あんた、婦人警官か」

「いいえ、教師よ」

「先生か」

「生徒と同年代の女の子を見ると、放っておけなくてね」

「な、引っ込んでろよ。それとも、一緒に付き合うかい？」

男がなれなれしく女の肩に手をかけると——。

女がサッと身をかがめたと思うと、肘で男の腹をドン、と突いた。

「ウッ！」

男が目を見開いて、そのままうずくまってしまう。

と、少女が目を見開いた。

「強い」

「さ、あなた、一緒にいらっしゃい」

と、女が少女を促した。

「うん……」

少女はポカンとした顔で、その女について歩き出した……。

「——あいつったら」

と、由利子は双眼鏡から目をはなして、「タバコをあんなにスパスパやって！　いつの間に憶えたんだろ？」

「歩き出しましたわ」

と、香子が言った。「間違いなく、畑中先生ですね」

「うん、確か」

「滑り出しは順調ですね」

ヘッドホンをつけていた旭子が、

「角を曲がるよ」

と、言った。

「出かけましょう」

香子が運転手に、「行って。ゆっくりやってね」

と、声をかけた。

「はい」

真新しいベンツ——では目立ちすぎる。

これは営業用のライトバン。三人は、この中にこもって、あの「不良少女」真由子と、畑中直子の後を尾けているのである。

「でも、真由子ちゃん、なかなか役者じゃない」

と、旭子が言った。「少なくとも、由利子ほど大根じゃない」

「悪かったね」

由利子は、やはり妹の身が心配で、この「作戦」には気がのらなかったのだが、何しろ当の真由子が、

「やるやる！」

と、すっかりのり気になってしまっていたのである。

で、安全第一、というわけで、真由子の首にさげているペンダントに小型マイク、ポシェットの中に発信機を忍ばせ、こうして三人でついて歩くことにしたのだった。

「——畑中先生、何してるんだろ。こんな所で？」

と、旭子が言った。

「さあね……。それを探り出すために、真由子が囮になってるんだから」

「本当に勇気のある方ですわ」

「じゃ、私は——」

「お姉様に似られたのですね」

香子の言葉に、由利子、何も言えなくなってしまった……。

「あの人、どうした？」

と、旭子が言った。

「あの人って？　――ああ、三宅静代のこと？」

「そうそう。意識戻ったの？」

「戻ったけど、香子の予想通り、何も憶えてないって」

「ふーん。そんなことあるのね」

「ある種の麻薬の持っている作用のようですわ」

と、香子が言った。「犯人は、ますますただものじゃない、という感じですわね」

「でも、田原さんの所は、もう大丈夫でしょう」

「そうでしょうか？　――犯人は、飯田マネージャーを殺しているのです。そうたやすく諦めはしないと思いますけれども」

「そうね……。次はどう出てくるかしら？」

「その手がかりが、この冒険でつかめるとよろしいのですけれど」

と、香子は言った。

「しっ。――どこかへ入るみたい」

旭子がスピーカーのスイッチを入れた。

「ここ、どこ？」

と、真由子の声が聞こえる。

「私の知り合いの人の家なの」

畑中直子の声だ。「――さ、入ってちょうだい」

「うん……」

「遠慮しないで」

二人がどこかの建物へ入ったらしい。

少し音が聞きとりにくくなった。

「――時間がなかったので、高性能のものが揃わなかったのです。真由子さん、窓のそばに座って下さるといいのですけど」

ジー、ザーという雑音がしばらく続いてから、

「――すてきな部屋」

と、真由子の声が、大分はっきり聞こえて来た。

「やった！」

と、旭子が言った。「どうする？」

「畑中先生のお宅は、学校の近くのはずよね」

「誰の家かね」

「近付いた方が」

と、香子は言った。「旭子さん、レシーバーを持って出て下さい」

「了解」

車を停めて、三人は外へ出た。

繁華街とは少し離れて、静かな通りである。

「——あのマンションかな」

と、歩き出した。

旭子が、アンテナの向きをあれこれ変えてみると、「——そう。あの方向だ」

と、畑中直子が言うのが聞こえて来る。

「——ねえ、あなたのこと、聞かせてちょうだい」

「そのようね」

「私のこと?」

「そう。どうして一人でこんな所をぶらついてたの?」

「お説教ならごめんよ」

「そうじゃないわ。私は——」

香子が手を伸ばして、レシーバーのスイッチを切った。

由利子は気が付いた。いつの間にか、男が二人、目の前を遮っている。いや、後ろにも二人いる。

「おい」

どう見てもヤクザ。——四人が相手というのは結構大変だ。

「何してやがるんだ?」

「私どもは、ただ、散歩を――」

「散歩? こんな夜中にか」

「そちらも、こんな夜中に出歩いてらっしゃいますが」

と、香子は平然としている。

「口のへらねえ奴だな。――三人か。どこか、その辺の店に売り飛ばしてやってもいいぜ」

「お高くなります」

と、香子は言った。「そちらは粗大ゴミ同様、引き取り料なしでは、無理かと存じますが」

「ハハハ」

と、由利子が笑った。

「こいつ!」

後ろにいた男が由利子の肩をつかんだ。

由利子は怒りっぽいのである。

「触るな!」

振り向きざま、靴先で男の膝をけとばしてやった。

「いて……いてて……」

男は、片足をかかえ込んで、ピョンピョン飛び回った。

「旭子」

「あいよ」

片足で飛びはねている男を、旭子がヒョイとつつくと、突然バランスを失って引っくり返る。

ゴーン、と音がしたのは、その男が頭をゴミバケツにぶつけたからで、実にいい音だった。

「貴様ら……」

残り三人が血相を変えて、懐ろから短刀を取り出す。

「香子！　危ないよ」

「ご心配なく」

ヒュッと音がして、香子の手には、折りたたみ式（？）フェンシングの剣が握られていた。

「早く言ってよ」

ホッと息をついて、「旭子、どいていよう」

「うん……」

ヒュッ、ヒュッ、と剣が白くきらめきながら宙を走る。

「いてえ！」

と、情けない悲鳴が上がった。

三人の男は、みんな手を押えて、道路にうずくまってしまっていた……。

# 17　注射針

ふーん。

真由子は感心していた。

もちろん由利子や旭子だって(香子は少し違っているが)現代っ子ではあるが、真由子などは、それに輪をかけて「さめている」ところがある。

その真由子にしてからが、畑中直子の言葉のやさしさにはついほだされて、ホロリとしそうになるのだった。

真由子は別に本物の「家出娘」というわけではない。それでいて心を打たれるものがあるのだから、もし本当に家の中に面白くないことがあって、夜中に街をふらついているような子だったら、きっと畑中直子を親以上に慕ってしまうことだろう。

真由子は、今どきの時代に、若い子たちが「占い」にひかれたり、中には怪しげな宗教にのめり込んで行く気持ちが、何となく分かるような気がした。

でもね、とやはりさめている真由子としては考える。——こういう人の言い方って、とてもはっきりしてて、そこが何となくフワフワしている今の子には魅力なのかもしれないけれど、人間て、そんなに「はっきりした」生きもんかしら？　特に若い内は、誰だって自分のことがよく分かんなくてモヤモヤしてるもんなんじゃないのかね……。

ともかく、香子たちとの打ち合わせ通り、真由子は、

「お父さんが外に女を作ってて……」

とか、

「お母さんは山へしば刈りに——」

じゃなかった、

「都心のカルチャーセンターに毎日通ってて、帰りはいつもその仲間と遊んで来る……」

とか、色々と当世風の悩みをでっち上げて打ち明けたのだった。

「そう。良く分かるわ」

と、畑中直子は肯いて、「さ、あったかいシチューができたわ。食べて」

「どうもありがとう」

と、真由子はフーッ、とさましながら、食べ始めた。「——おいしい」

これはお世辞ではなかった。

「ありがとう。——あなた、学校は?」

真由子はもちろん、適当にでたらめを言った。——「畑中直子が調べてでたらめと分かったら?」という由利子の心配に、香子は、

「それは大丈夫です。それぐらいの方が、却って真実味がありますわ」

と、答えたのだった。

「お名前を聞いてなかったわね」

と、畑中直子が言った。

「そっちも言わないから」

「本当ね」

と、畑中直子は笑って、「私は畑中直子というの」

「私、桑田真由美」


——二人の会話を外で聞いていた旭子がびっくりした。

「桑田?」

「お断わりしていなくてすみません」

と、香子が言った。「旭子さんの妹ということにさせていただきました」

「じゃ……うちの親父が女を作って、母親が遊び回ってる、っての?」

「まあまあ」

と、由利子がなだめる。「そういう設定なのよ。お芝居と同じ」

「お芝居、か……」

その一言にゃ弱いのである。

「しっ！　話が――」

と、香子が言った。

「じゃ、お姉さんの名前は桑田旭子？」

と、畑中直子が訊いた。

「うん。――知ってるの？」

「いいえ。たまたま似た名前の人をね……」

と、畑中直子は言って、「どこの学校？」

「花園高校ってとこ。そこの二年生なの。あんまり頭は良くないけど、いい姉さんよ」


「ちょっとね、あんた！」

と、旭子がムカッとして、「どういう育て方してんのよ、お宅！」

「静かにしろって」

由利子は旭子の頭をコツンとやった……。

「アーア」

と、真由子は欠伸をした。「何だか眠くなっちゃった……」

「そう？　良かったら、眠ってっていいのよ。それとも、お宅まで送ってもいいわ」

と、畑中直子は立ち上がって、真由子が食べた器を片付けた。

「あ、ごめんなさい……。アーア……。家に帰っても……面白くないし」

「そうね」

「でも……心配してるかなあ……」

「どうかしらね」

「私……少し眠っても……」

「いいわよ、ゆっくり眠って行ってちょうだい」

その言葉が、終わりまで耳に届かない内に、真由子はソファの背に頭をもたせかけて、ぐっすりと眠り込んでしまった。


「——どうなってんの」

と、由利子は言った。

「どうやら、シチューに薬が入れられていたようです」

と、香子は言った。

「大変だ！　ね、殴り込みかけよう」

「お姉様のご心配はよく分かります」

と、香子は穏やかに言った。「ですが、これこそチャンスです。真由子さんを眠らせて、どうするつもりなのか」

「殺されでもしたら……」

「ご心配なく。そんなことは考えられませんわ」

香子になだめられて、由利子は多少落ちついた。自分でも、やはり妹の身がこんなに心配なんだ、と思って感心（？）している。

「物音が」

と、香子は言った。

ジージーと雑音が入った。

「マイクと発信機の間が離れましたわ」

「どういうこと？」

「きっと、真由子さんをベッドへ運んだのではないでしょうか。ポシェットはソファに置いたままで」

「大変！　真由子が乱暴される！」

「由利子。畑中先生、女だよ」

「あ、そうか」

「ドアの開くような音が……。見ていましょう」

香子は、そのマンションの出入口を見ていた。

少しして、畑中直子が出て来る。

「あれ？　どこへ行くんだろ？」

「真由子さんを残して……。旭子さん」

「あいよ」

「お姉様と私は、真由子さんを捜しに参ります。あなたは――」

「畑中先生を尾行する」

「その通りです」

「任しといて」

旭子は、夜の道を、足早に辿って行って、すぐに見えなくなった。

「行こうか」

と、由利子が行きかけると、香子がパッとその腕をつかんだ。

「何？」

「妙な男が」

なるほど、一見してヤクザ風の白いスーツの男が、あのマンションへ入って行く。

「何か関係あるのかね」

「分かりませんが……急ぎましょう！」

男の姿が見えなくなると、香子と由利子はマンションへ向かって駆け出した。

白いスーツの男は、寝室のドアを開けると、広いベッドで眠っている真由子を見た。

「何だ。まだ子供か」

と、首を振って、「可哀そうに」

手にしていたバッグをテーブルの上に置くと、中から布にくるんだものを取り出した。

「今からこいつの味を憶えりゃ、長いこと楽しめるぜ」

金属のケースを開けて、注射器を取り出す。——白く濁った液体が、注射器の中に充たされていた。

「ちゃんと消毒しないとな。衛生第一だ」

男は消毒液をしみ込ませた脱脂綿で真由子の腕を拭いた。

「ちょっと痛いだけだ。——我慢しろよ。すぐいい気持ちになるからな」

と、針を突き立てようとして……。

「大分、痛い思いをすることになりますが」

と、声がした。

男がギョッとして振り向く。

「間に合った！」

と、由利子は息をついた。「——香子、こいつは任せて」

「初めだけお手伝いいたします」

ポカンとしている男の手から、注射器がはじき飛ばされた。香子の剣が、ヒュッと走ったのである。

「この野郎！」

と、叫んだのは、由利子だった。

真っ直ぐ男のお腹めがけて突っ込んで行くと、その石頭がまともにお腹に命中。

「ゲッ！」

と、男は白目をむいて引っくり返ってしまった。

「こん畜生！」

両膝揃えて、ポンと男の上に落下。——これで、完全に男はのびてしまった。

「ふん、情けない奴」

と、由利子はパッパッと手をたたいて、「手なんか使うまでもなかった」

「お姉様は、きっと夫婦喧嘩もお強いことと存じます」

「変なこと請け合わないでよ。——ともかく、真由子をかつぎ出そう」

「はい。とても良くやって下さいましたわ」

「後がこわい。何をおごらされるか……」

由利子は、眠り込んで、一向に起きる気配もない真由子を、仕方なく背中におぶった。

「——この男、どうする？」

「麻薬を持っているのですから、警察の方で喜んで引き取って下さるでしょう」

「そうか」

「今、電話しておきます」

香子が一一〇番して、このマンションの場所と部屋を連絡してやる。

「——でも、畑中先生、こんなことにまで係わってたんだ」

「三宅静代さんのことから考えて、当然ありうることではございますが、でも……」

と、香子も深刻な表情である。

「さ、行こうか」

「はい」

由利子たちがマンションの外へ出ると、ライトバンがちゃんと待っていた。

「——旭子はどうする？」

「ここへご連絡下さるとよろしいのですけど……」

「放っといても、お腹が空きゃ帰って来るけどね」

犬か猫と間違えている。

「ともかく、真由子さんを中へ——」

と、やっていると、

「ただいま」

ヌッと旭子が現われて、

「キャーッ！」

と、由利子が飛び上がりそうになったのだった。

「何だ、見失ったの？」

と、走るライトバンの中で、由利子は渋い顔で言った。

「しょうがないでしょ。タクシー拾って行かれちゃったら」

と、旭子が言って、「お腹空いた」

「やっぱりね」

「何が？」

「別に。――そういう時はね、走ってでも追っかけるのよ」

と、無茶なことを言っている。

「ウーン……」

と、呻いて、真由子が目を開いた。「あれ？」

「真由子。ご苦労さん。よくやったね」

と、由利子は妹をねぎらった。

「ここは……？」

「ライトバンの中よ。帰る途中」

「そうか……。眠っちゃったんだ、私」

真由子は、また欠伸をした。

「薬が入ってたのよ、シチュー」

「そうか！　でも、いい味してた。――ねえ、お姉ちゃん」

「何よ」

「何かおごれ」

この元気！　――由利子は呆れるやらホッとするやら……。

「では、このままどこかで食事して帰りましょうか」

と、香子が言った。

「賛成！」

真由子と旭子が同時に叫んで、由利子はあわてて耳をふさいだのだった……。

# 18　逆さのみゆき

何だか、学校全体がいやなムードだった。

「——どうかしたの?」

と、いつも通り、ぎりぎりにやって来た由利子は香子に訊いた。

「例の火事です」

と、香子が言って、由利子を教室の隅へ引っ張って行った。

「どうしたの?」

と、見かけて旭子もやって来る。

「あの職員室の火事のことで、火をつけたのが河辺みゆきさんだという密告の電話が」

「いやねえ、たちが悪い」

と、由利子は顔をしかめた。「でも、実際、やってないじゃないの、みゆきは」

「ですが、気の弱い人です。火をつけなかったか、と訊かれて、真っ青になって——」

「やったと思われるね」

「今、校長室で、話をしています」

と、香子は言った。「こうなったら、本当のことを話すしかありません」

「同感。みゆきがやったことにされちゃ大変だもんね」

「ではご一緒に？」

「もちろん！」

と、由利子は言って、「話は香子に任せるよ」

と、付け加えた。

三人が揃って廊下を歩いて行くと、何となく決闘にでも行くような迫力があって、すれ違う先生たちが道をあけてしまう！

「——失礼いたします」

香子がドアをノックしてから開けると、教務主任の駒井先生が一人でソファから立ったところだった。

「おお、何だ、三人揃って？」

「お話がございます」

と、香子は言って、「——河辺みゆきさんは？」

「うむ……。今、出て行ったところだ。もう聞いたのか」

駒井は、ため息をついて、「あの子がやったとは信じられんが……」

由利子たちは顔を見合わせた。

「まさか、ご自分から、やったと言われたのでは……」

「いや、『火をつけたのは君だという通報があったんだが……』と切り出すと真っ青になってな」

と、駒井は言った。「『やったのか』と訊くとワッと泣き出して……。どうにもならん」

「それで——どちらへ?」

「一旦、教室へ戻るように言った」

「変です」

と、香子は言った。

「何が?」

「もし教室へ戻られたのなら、私どもがここへ来る途中、出会っているはずです」

「じゃ、香子——」

「捜しましょう!」

「おい、待てよ。一体——」

と、駒井が面食らっている。

「先生」

香子は、ドアを開けて振り向くと、「少女たちの中には、何か悪いことを考えただけでも、ひどく罪を犯したような気になる人がいるのです」

と言って、パッと出て行く。

「そうですよ」

と、旭子も言って、「言葉は刃物よりも鋭く、人を斬るのです」

「先生なら、それぐらい考えなきゃ」

と言って、由利子がラストに駆け出して行く。

駒井は、唖然として突っ立っていたが――やがて頭をかかえて、ソファに座り込んでしまった……。

香子たちは三方へ散って、出会う人に次々、

「河辺みゆき、見なかった？」

と、訊いた。

「ああ」

と、両手一杯に本をかかえて階段を下りて来た、歴史の先生が肯いて、「そういや見たよ。ここを上がってった。どこへ行くのかな、と思ったんだけど」

「どんな様子でした？」

と、由利子が訊く。

「うん……。何だか心ここにあらず、っていうか……。思い詰めてる感じだった」

「だったら、何で何とかしないんですか！」

由利子が血相を変えて怒鳴ったので、その先生の手からドサッと本が落ちた。

由利子はダダッと階段を駆け上がりながら、

「香子たちを呼んで下さい！」

と、怒鳴っていた。

「は、はい」

先生はあわてて廊下へ出ると、「おーい！　香子！」

と、大声で呼んだのだった……。

——由利子は、一番上まで階段を上がったが……。

ともかく、捜すといっても一人じゃ、右と左へ同時に行くわけにいかない。

「河辺さん！」

と、由利子は思い切り大声を出した。「みゆき！　いたら返事して！」

由利子が、ここぞとばかり大声を出したのだから、相当なもので、百キロ四方に響きわたった——というのはオーバーだが。

「——由利子」

と、小さな声が聞こえた。「——由利子なの？」

どこから聞こえて来るんだろう？　由利子がキョロキョロ見回していると、また——。

「由利子……」

窓の外？　まさか！

ともかく、由利子は窓から頭を出してみた。

「ここよ」

声のした方へ顔を向けると、河辺みゆきが少し離れた窓辺に、腰をかけて、足を外へ投げ出す格好になっている。ちょっとお尻を前にずらせば、そのまま落下する。

落ちれば、命はないだろう。

「みゆき！　捜したよ」

と、由利子はわざとにらんでやった。「人に心配かけて。さ、中へ入んなよ」

「いいのよ」

と、みゆきは首を振った。「もう……。やっぱり私は、責任を取らなくちゃ」

「やってもいないことの責任？」

「やろうと思ったわ。それだって立派な罪だわ」

「そんなもん、罪じゃないよ。考えただけで罪になるのなら、私なんか刑務所で人生が終わっちゃう」

「でも、私の場合は別よ。卑劣なことだったわ。しかも、あなたたちに助けてもらって、自分は知らんぷり。――やっぱり、神様は見逃さなかったわ」

「あのね、神様は密告なんかしないのよ。しかも、でたらめの密告なんてね」

「私、どうせいつか、罪を犯す誘惑に負けるわ。その前に――きれいなままで死にたい」

と、みゆきはじっと下を見ながら、言った。

「私、高い所ってだめだったんだけど……。不思議ね。覚悟したら、怖くない」

「みゆき、考え直して！」

「ごめんね、由利子。色々ありがとう」

と、みゆきは言って――。「さようなら」

「みゆき！」

みゆきの体がスッと空中へ――。由利子は目を閉じた。

「お姉様！」

香子の声が由利子の耳を打った。「手を貸して下さい！」

ハッと目を開けると、香子が、みゆきの腰かけていた窓の所で、必死にロープを引っ張っている。

そのロープの先には――足首をロープで縛られたみゆきが、逆さにぶら下がっている。

「待ってな！」

由利子は突っ走った。「頑張れ、香子！」

香子の所へ駆け寄り、ロープを一緒につかむ。

「下ろすには長さが足りません」

と、香子が言った。「引き上げるんです！」

「分かった」

カウボーイの投げ縄の要領で、落ちようとするみゆきの足首をからめ取ったんだろう。正に神技！

二人が必死で引っ張り、ジリジリと引き上げていると――。

「どうしたの？」

と、声がした。

畑中直子が立っていた。

「先生、ご一緒に引っ張っていただけませんか」

と、香子が言った。「この先に、人一人、ぶら下がっているんです」

「まあ大変」

畑中直子は、駆け寄って来て、「あんまり力はないけど……。よいしょ！」

大丈夫だろうか？　わざと落とそうとするんじゃないか？

由利子には気になったが、今はともかく一緒にやるしかない。

「ほら、もう少し！」

畑中直子も、力をこめて引いているようだ。――ジリジリとロープは上がって来た。

「今、お母様がみえています」

と、香子が医務室から出て来た。

「手は大丈夫？」

と、由利子が訊いた。

何しろ、しばらく一人で、河辺みゆきの体重を支えていたのだ。香子は手の皮がむけてしまっていた。

包帯した両手を上げて、

「修行不足でございます」

と、香子はのんびりと言った。

「全くもう！」

由利子は笑ってこづいてやった。

畑中直子が出て来ると、

「あなた方、よくやったわね」

と、微笑んだ。「お母様も泣いておられたわ」

「先生にもお力を貸していただいて」

「当たり前のことよ」

と、畑中直子は首を振って、「じゃ、これで」

畑中直子が行ってしまうと、由利子と香子はホッとして顔を見合わせた。

「本音はどうなのかしら」

「さあ……。人間は複雑なものですから」

と、香子は言って、「旭子さんは？」

「あ、あいつ、何も手伝わんで」

と、文句を言っていると、当の旭子がやって来る。「遅いよ」

「ごめん」

珍しく、旭子は素直に謝っている。

「何かあったのですか」

と、香子は訊いた。「いつもの旭子さんにしては深刻なご様子」

「うちから電話でね」

「お宅から？」

「お袋が泣いてんの。親父が浮気してる、って」

「それはもしかして……」

間違いない。真由子のでっち上げた話をもとに、「密告」した人間がいるのだ。

「うちへ来て説明してくれる？」

「参ります」

と、香子は言った。

三人が廊下を歩いて行くと、

「おい、君たち」

と、駒井が追いかけて来た。

「あ、先生」

「いや、ありがとう。助けてくれて良かったよ」

「すみません、失礼なこと言って」

と、由利子も一応謝った。

「いやいや。大いに考えさせられたよ」

と、駒井は言った。「時にね——君ら、これ、何だか分かるか?」

駒井が取り出したのは、黒い小さな金属の箱。

「盗聴機です」

と、香子が言った。「これをどこで?」

「会議室だ。ホワイトボードの引出しの裏側についていた。引出しごと抜いて、落っことしてしまってね」

「会議室というと——職員会議などの開かれる……」

「そうだ。もしかしたら、と思ったんだが……」

「先生以外に、このことをご存知なのは?」

「いや、私だけだ。一人で、連絡事項を書いていたんだ。どうしたもんかね？」

先生の方が生徒に訊くというのも、妙なものだ。

「お任せ下さい。このことは秘密に」

「分かった。頼むよ」

駒井は、ホッとした様子で、行ってしまった。

「それも、もしかして……」

「会議室からは大分遠いですね。この話が向こうへ聞こえていないといいのですが」

香子の目は輝いていた。

「うちへ説明に来てくれるの？」

「恐れ入りますが、後ほど」

「だと思ったよ」

と、旭子は諦めたように言ったのだった……。

# 19 気迫の勝利

ここ……かしら？

田原寿江は、少し戸惑いながら、その古びたアパートを見上げた。

住所はメモの通り。確かに、よく見ると、アパートの名前らしいものが、すっかりペンキのはげ落ちた看板に読みとれる。

しかし——どう見てもそこはアパートそのものが空家で、人の住んでいる気配は感じられなかったのである。

大体、もう夜の七時。もちろん辺りは真っ暗だし、誰かがここに住んでいるとしたら、明かりが点っていていなくてはおかしい。

「いたずらかしら……」

と、寿江は呟いた。

実際、寿江のようにＴＶなどで顔が知られていると、いたずらで手紙や電話を寄こす人間はいくらもいる。

寿江と同様の〈教育評論家〉の男性が、「ある女子大学」からの講演依頼というので行ってみたら、そこは〈女子大学〉という名の、かなりいかがわしい店だった、なんて話もある。

寿江とて、普通なら突然の「相談依頼」を引き受けて、わざわさ足を運んだりしないのだ。しかし、オフィスの留守番電話に吹き込んであった女の声はいかにも疲れ切って、真に迫り、

「もう子供を殺して、私も死ぬしかありません……」

と、結んでいた。

本当は、やっと夫とも和解したのだし、今日は早く帰って、一緒に夕ご飯を食べたかったのだ。しかし、気になり始めると忘れることができない自分の性格はよく分かっていた。

吹き込んであった住所を手がかりに、訪ね当てたのだが……。誰もいないのでは、仕方ない。

〈教育〉というものに係わっている以上、勤務時間はない、というのが寿江の信念である。

一応中へ入って確かめてから、帰ろう。

「――馬鹿みたわ、本当に」

腹も立つ。自分が必死でやっている分だけ、腹も立って来るのである。

アパートの、埃だらけの廊下へ入っても、人のいる気配はなかった。寿江は、引き返そうとして――。

カタッ、と音がして、振り向くと、ドアの一つがきしみながら開いて来たのである。

「――誰かいるんですか?」

と、寿江は呼びかけた。

部屋の中は暗い。しかし、また何か物音も聞こえたようだ。

寿江はそっとドアに手をかけ、大きく開けると、中を覗き込んだ。——かすかに中が見えているのは、表の街灯の光が洩れ入って来るせいらしい。

ガランとした部屋。畳の上に、布団が敷いてある。それだけは、いやに真新しく見えた。

いやな予感がした。寿江は引き返そうとして、立ちすくんだ。ドアの前に、いつの間にか、三、四人の男が立ちはだかっていたのだ。

カチッと音がして、部屋の明かりが点く。——男たちはどう見てもヤクザ。寿江のことを待ち受けていた様子だ。

罠にかかった、と気付いたが、もう逃げることはできなかった。

「上がんなよ」

と、男たちの一人が言った。「まあ、ゆっくり寛いでもらおうか」

怯えた様子を見せるのは、寿江のプライドが許さなかった。

「何ですか、あなたたちは」

真っ直ぐに男の目を見返す。

「元気のいいおばさんだ」

と、黒ずくめの服装の男が笑った。「あんたに一時間ほど付き合ってもらいたいのさ」

「相手を選ぶ権利はあります」

と、寿江は言った。

「選択の余地は一つだけさ」

と、男は言って、ポケットから小さなガラスのびんを取り出した。「おとなしく、その布団で、俺に抱かれるか、それとも、このびんの中の硫酸で顔を焼かれるかだ」

さすがに寿江も青ざめた。――他の男がカメラを持っているのにも気付いていた。

これは、予め計画された罠だ。おそらく、あのスライドをすりかえたのと同じ人間の指図だろう。

夫との間をこわすことに失敗して、今度はこんな力ずくの手段に出て来たのか。――何という執念深さだろう！

「――誰に頼まれてこんなことをしているの？」

と、寿江は言った。

相手が、もし適当に通りかかった寿江を捕まえたのだったら、たぶん、寿江はもっと恐ろしかっただろう。しかし「敵」が見えて来ると、今度は逆に怒りがこみ上げて来て、恐怖を忘れさせてくれた。

もちろん恐ろしいには違いない。しかし、負けてたまるものか、という思いが、こみ上げて来て、寿江を圧倒してしまったのである。

「大きなお世話だぜ」

と、硫酸のびんを手にした男は少し苛立っている様子だった。

たぶん、寿江が怯えて、ガタガタ震えて泣き出すとでも思ったのだろう。

「さあ、どっちにするんだ？」

「もう一つ、選ぶ道があるわ。あなたたちにはね」

「何だと？」

「尻尾を巻いて退散するっていう道がね」

男が顔を真っ赤にして、

「おい、貴様――」

と、寿江をにらみつける。

すると、寿江は、パッと部屋へ上がり、敷かれてある布団の上に立つと、両手を腰に当てて、男たちを見返した。

「さあ、どうぞ。好きにするといいわ。写真でも何でもとって。ビデオカメラぐらい、用意しなさいよ。気のきかないこと」

男たちは面食らった様子で、寿江を眺めている。

「その代わり――」

寿江は、大きな声で言った。普段、広い会場で喋っているのだから、声はよく通る。

「私を殺す覚悟はできているわね」

と、正面の男を見据える。

「誰も殺すとは言ってないぞ」

「じゃ、捕まるのを覚悟しといてね」

と、寿江は言った。「私が、こんなことをされて、泣き寝入りするほど、おとなしい女だと思うの？　冗談じゃない！　あんたたち、一人一人の顔、はっきり憶えてるからね。私は人の顔を憶えるのは得意なの」

「何だと、おい——」

「いくらもらうことになってるか知らないけど、ずっと警察に追われて逃げ回るのなら、相当もらっとくことね。少なくとも十年は時効にならないわ。そうさせたくないのなら、私を殺すしかないわよ。殺人罪となると、大変ね。あんたたちみんな、何十年も刑務所へ入ることになる。それでも良きゃ、好きにするのね」

寿江は布団の上に仰向けになった。「——さあ、どうぞ。のんびりしてると、超過料金でもいただくわよ」

男たちの方が、すっかりのまれてしまっている。

「そ、そんなことすりゃ、お前の写真をばらまいてやるぞ！」

と、硫酸のびんを手にした男が、無理に力んだ口調で言った。

寿江は笑い出した。——我ながら、後になって考えると、よく笑えたものだと思うのだが、この時には、ごく自然に笑っていたのである。

「何がおかしいんだ！」

と、男の方は頭に来て、真っ赤になりながらわめいた。

「私が、十七や十八の女の子ならね、そんな写真をばらまかれたら、死にたくなるかもしれないけど、残念ながら私はもう高校生の娘までいるのよ。今さら私の裸を見て喜ぶ人もいないと思うけど」

「この野郎！　いい気になりやがって――」

「だから言ってるじゃないの。さあどうぞ、って。その代わり、あんたの顔をしっかり憶えていてやるからね！」

最後の一言は、凄い気迫で叩きつけたものだった。

男たちは、互いに顔を見合わせた。――もちろん、金はもらっている。しかし、人殺しまでやる気はないのだ。

「――降りるぜ、俺は」

と、カメラを持った男が言った。「誰か代わりに写真をとってくれ」

「いや……。俺もやめとく」

そうなると早い。アッという間に、寿江は、硫酸のびんを手にした男と二人になってしまっていた。

「――大変ね」

と、寿江は起き上がって、「私を襲っておいて、その写真を自分でとるの？　ご苦労様。まあ頑張ってちょうだい」

「人を馬鹿にしやがって！　——憶えてやがれ！」

捨てゼリフを吐くと、男はドタドタと足音をたてながら出て行った。

——勝った！

寿江は、大きく息をついた。全身から、どっと、汗がふき出して来ていた……。

「まあ、そんなことが？」

由利子は、田原貴子の話を聞いて、唖然とした。

「何てしつこい奴！」

旭子が呆れた様子で、「それだけのしつこさがありゃ、出世できるのに」

「これは、何とかしなくてはなりませんわね」

と、香子が言った。

学校の帰り道、四人は近くのファーストフードの店で軽い食事をしながら、話していた。

「敵は、うちの一家を恨んでるのね」

と、貴子はため息をついた。

「たぶん、向こうは諦めたりしないでしょう」

と、香子が言った。「お姉様」

「あいよ」

と、由利子が答える。

「今度はこっちが敵に罠をかける番かもしれません」

「いいわね」

と、由利子はニヤリと笑って、「腕が鳴る！」

「例のマンションは手入れもされて、麻薬組織とつながっていることが確かめられたようです」

「じゃ、畑中先生の所まで、手が伸びるかしら？」

「あまり期待しない方がよろしいと存じます」

と、香子は言った。「畑中先生は、頭のいい方です。決して必要以上に、ああいう連中に近付いていないでしょう」

「そうだろうね」

と、由利子も肯く。

「あのマンションに警察の手が入っているのに、河辺みゆきさんのことで密告電話をしたり、貴子さんのお母様を襲わせようとしたり……。また、殺人のような大きな事件が起きないとも限りません」

「じゃ、どうする？」

香子は、ちょっと店の中を見回して、

「用心には用心です。——私の家へ移りまして、ご相談いたしましょう」

「賛成！」

と、旭子が言って——。

場面は弘野邸に変わるが、状況はほとんど変わらず、四人で食事をしているだけ。

もっとも、こっちは本格的なディナーであったが。

「——あの盗聴機を利用したら？」

と、由利子が言った。

「お姉様のご提案は、いつも大変に的を射ておられます」

と、香子は微笑んで、「私もそう申し上げようと思っておりました」

「珍しく誉めてくれるじゃないよ」

「誉められるのが珍しいんでしょ、由利子の場合は」

と、旭子が言った。

「どう違うのよ」

「微妙に違うわ」

「そんなことより——」

と、貴子が心配そうに、「その盗聴機を、どう利用するの？」

「盗聴機は元の場所へ戻してあります。それに犯人が気付いていないとしたら、そこから、でたらめの情報をわざと流し、犯人を引っかけることができるかもしれません」

「やろう、やろう！」

と、由利子は威勢がいい。「ここでひるんでる場合じゃないよ」

「問題は、誰かが、えさにならなくてはならない、ということです」

と、香子は言った。

「なら、由利子だ」

「ちょっと、旭子！　何でいつも私にそんな役が回って来るのよ！」

「だって、由利子って、無鉄砲っていう以外にとりえがないじゃない」

旭子の鋭い言葉に、由利子も何も言えなくなってしまった。

「お姉様はだめです」

と、香子が首を振る。「私も旭子さんも、ともかく私たち三人の誰がやっても、向こうは罠だと見破ってしまうでしょう」

「じゃ、私がやる」

と、貴子は言った。「母のためでもあるんだし」

「貴子だって、無理じゃない？」

と、由利子が言った。「ねえ、私たちと仲間同然って分かってるのよ」

「その通りですわ」

「でも——」

「ここは、全く別の方でないと。——しかも、この人が、と思うような……。難しいことですが、誰か信頼できる人にお願いするしかありません」

「でも……」

と、由利子が考え込んで、「そんな人、いる?」

「私が考えましたのは……」

と、香子はシャンパンを一口飲んでから、言った……。

# 20　訪れた死

「私があんたたち三人組の手伝いをするの？」

と、向井千恵子は目を丸くした。

「すみません、とんでもないこと言い出して、もちろん、無理にってわけじゃないんです。できれば、でいいんですけど」

由利子も、いつになく控え目である。

そりゃそうだ。バレー部の部長に、そんなことを頼むなんて、無茶というしかない。由利子も、

「いくら香子の案でも、そんなの無理だよ」

と、抵抗したのだ。

しかし、香子に言われると、何となく逆らえないというのは誰しも同じで……。結局、放課後、バレー部の部室で、由利子は向井千恵子にこうして話をしている、という次第である——。

「うーん」

と、向井千恵子は腕組みをした。

大柄で、がっしりした体つきの向井千恵子が腕組みなんかしていると、何となく「お父さん」

みたい。

「あの、部長——」

「〈部長〉はやめて、もう引退したんだからね。〈向井さん〉でいいわよ」

「はあ」

「そうね。私も、色々噂は聞いてたし、この学校に火をつけるなんて、ふざけた奴だ！——いいよ、やったげる」

と、向井千恵子は肯いた。

「やった！　ありがとうございます」

由利子は頭を下げて、「肩でももみましょうか？」

「よしてよ」

と、向井千恵子は苦笑した。「ね、どうすりゃいいの？　何をしたらいいのか、教えて」

「実は——」

と、由利子は、会議室に盗聴機が仕掛けられていることを打ち明けた。

「呆れた！」

と、向井千恵子は目を丸くして、「凄いことやってるのね、そいつ」

「ですから、先生が個人的に生徒を呼んで話したりしてることも、全部筒抜けだと思うんです」

「なるほどね。脅迫のネタにゃ、事欠かないってわけか」

由利子は、畑中直子のことについては、向井千恵子に話していない。何といっても、毎日のように顔を合わせる教師である。

よほど決定的な現場でも押えない限り、口外はできない。

「ですから、私たちがその盗聴機のことを知ってる、ってことを、犯人は知らないと思うんです」

「ややこしいわね。ま、分かるけど」

「それを利用して、犯人を引っかけてやろうと……。で、向井さんの手を借りたいんですけど」

向井千恵子は、ちょっと笑って、

「面白そうね。――いいわよ。でも、何をすりゃいいの？　あんたたちみたいに、変わった才能は持ってないわよ」

「そこなんです」

と、由利子は身をのり出す。「犯人も、まさか向井さんが、そんなお芝居をするとは思いません。引っかけるには、向井さんが一番の適役なんです」

「でも……犯人が喜ぶような秘密なんて、持ってないわよ。私が先生と恋を語らうってわけにもいかないし、どこかの男と会ってたりしたら、うちの両親なんか、お祝いしてくれちゃう」

「一番、真実味があるのは、バレーボールのことです」

「バレー部の？」

「来週、試合が入ったでしょう。N学園との」

「うん。突然だったね」

と、向井千恵子は肯いて、「でも、N学園なら勝てるよ、きっと」

「そうなんです。うちとN学園の勝負で、お金を賭けてる子がいる、ということにして……」

「賭け？」

「もちろん本当じゃありません。でも、そんな噂、流せばパーッと広まります」

「そうだろうね」

「その賭けをまとめてる人間に頼まれて、向井さんが、わざとうちが負けるように、って……。どうですか」

「なるほど」

向井千恵子も興味がわいて来た様子で、「面白いじゃないの！」

「後輩を呼んで、わざとミスをするように言い含める。犯人がそれを録音していたりしたら——」

「そりゃ大問題ね」

「すみません、妙な話で」

「いいわよ。犯人をうまく引っかけてやれりゃ、何かおごってくれるの?」

「もちろん!」

と、由利子は肯いた。「香子がついてますから」

人のことを当てにしているというのも、大したもんである。

「で、私は誰に言い含めりゃいいわけ?」

と、向井千恵子は訊いた。


病室のドアが開いた。

「あら……」

三宅静代は、目を開いて、「お忙しいんじゃないんですか」

「仕事の途中なんだ」

田原悟志は、仕事用の鞄を持っていた。「どうだい、気分は?」

「ええ……。もう退院しても大丈夫だって……」

「医者がそう言ってるの?」

「私が。でも、お医者様は、まだだめだって」

と、静代は微笑んだ。

「何だ、それじゃ仕方ない」

田原は、ベッドのわきの椅子に腰をおろして、鞄を下へ置いた。「ほら、これ」

と、紙包みを出して、

「君の好きな和菓子だ」

「まあ、太っちゃいそう」

静代は、すっかり落ちついた様子で、血色も良くなっていた。

お菓子の箱を開けて、

「一つ、いただこうかしら」

「お茶をいれよう。ティーバッグは？」

「その中に。——私、やります」

と、起き上がろうとする。

「だめだめ、君は病人だ」

と、田原は立ち上がって、「ポットが空だよ。お湯を入れて来よう」

「すみません」

田原がポットを手に病室を出て行く。

——静代は、もう田原への思いに苦しむことはなかった。

もちろん、今でも田原を愛している。しかし、田原の妻が、こうして自分をこの個室へ入院させてくれ、心配してくれているのである。

もともと、田原の家庭をこわすつもりではなかったのだし。

退院したら、もう故郷へ帰り、自分の人生を、もう一回やり直してみよう。そう、決めていた。

看護婦が入って来た。

「気分は？」

「変わりありません」

と、静代は答えた。

看護婦は、ちょっと静代の手首をとり、何か書き込んで、

「じゃ、またね」

と行きかけて、「おっと——」

何か落としたのか、少しの間かがみ込んでいたが、すぐに体を起こして、

「ゆっくり休んでね」

と、言って出て行った。

静代は、天井へ目をやった。——そして、ふと妙な気持ちになった。

どこかで……。今の看護婦さん、誰かと似てるわ。

もちろん、この病院の中で見ているのだろうが……。しかし、どこか別の場所で会っているような、そんな気がしていたのである。

「――お湯を入れて来た」

と、ポットを手に田原が戻って来る。

二人でお茶を飲みながら、和菓子をつまんだ。

静代は、田原とこうして自分の部屋で時を過ごしたころのことを、思い出していた。

「――お役に立たなくて、ごめんなさい」

と、静代は言った。「あんなことをした人間のことを、どうしても思い出せないの」

「もういいんだ。後は警察の仕事だよ」

と、田原は言った。「君はもう充分に傷ついた」

「いいえ」

と、静代は首を振った。「辛くても――幸せでした。後悔はしていません」

「それを聞いて嬉しいよ」

と、田原は肯いた。

「奥様は――」

「相変わらず、忙しいよ」

と、田原は笑って、「しかし、あの経験で、あいつも一回り大きくなったように見える」

「すばらしい方だわ。――大事にして下さいね」

「ああ」

田原は肯いた。「――さて、行くか。まだ少し回るところがある」

「ありがとうございました」

と、静代は言った。

「じゃ、また来るよ。この次は何を食べたい？」

「じゃ、特大のおにぎりでも」

と、静代は笑って言った。

田原が鞄を手に、立ち上がる。

――あの看護婦さん……。

どこかで……。静代の直感が、危険を告げていた。

「ゆっくり休むんだよ」

病室のドアを開けて、振り向いた田原が言った。

あの女！　――静代を車に乗せて、あの薬をのませた女！

さっきの看護婦だ。――じゃ、何のために――。

鞄！　その鞄を――。

「待って！」

静代は、ドアを閉じかけていた田原に向かって叫ぶと、ベッドから飛び出した。

「おい――」

「危ない！」

静代は、駆け寄って、田原の手から鞄を奪い取った。そして、ベッドの向こうへ投げようとして——。

突然起き出したせいで、足もとがふらついた。鞄を胸に抱くような格好で、静代は、床に突っ伏した——。

「——矢吹さん」

と、教室のドアが開いて、事務の女の子が顔を出した。

「はい」

由利子は立ち上がった。

「お電話よ」

「すみません」

何だろう、授業中に？　由利子は、急いで教室を出た。

「誰からですか？」

「田原さんって方。——弘野さんたちにも」

「分かりました。——香子、旭子！」

三人組が、事務室へと急ぐ。

「——矢吹です」

と、由利子は電話に出て、言った。「——あ、貴子のお父さんですね。——え？」

由利子の顔から血の気がひいた。

「——分かりました。すぐに……貴子も一緒に行きます」

受話器を置くと、由利子は目を閉じてしばらく呼吸を整えなくてはならなかった。

「お姉様……」

「三宅静代が——死んだって」

「ええ？」

旭子が目を丸くして、「もう大丈夫だって……」

「田原さんが見舞いに行って、鞄を置いておいたら、その中に誰かが爆弾を……」

「何てことを！」

香子が目を閉じた。

「三宅静代が気付いて、鞄をかかえて——床に倒れた時、爆発が……。即死ですって。田原さんはかすり傷だけで、すんだそうよ」

「じゃあ……田原さんを守って死んだんだ」

と、旭子が言った。「そんなことって……」

「お姉様」

と、香子がいつになく厳しい表情になって言った。「私たちがぐずぐずしていたせいですわ」

「うん……。ともかく――」

「病院に参りましょう。今、車を呼びます」

電話をかける香子の目に、涙が光っているのを、由利子は見た……。

# 21　悩める由利子

「――静代」

と、田原悟志は言って、ゆっくりと首を振った。

「夢なら覚めてほしい」

病院地下の霊安室に、三宅静代の遺体は安置されていた。

「爆弾で、体は大分ひどくやられましたが――」

と、立ち会った医師が言った。「顔だけは無事で……。至って安らかでしたよ」

田原が両手で顔を覆った。

田原の背後に、由利子、旭子、香子の三人と、田原貴子が並んで立っていた。

「――大変なことになっちゃった」

と、貴子が、呟くように言った。

「静代……。俺のせいで……」

と、田原が、呻くように声を絞り出す。

確かに、田原としては、たまらない気持ちだろう。入院することになったのが、もとはと言えば、自分との関係のせいだし、それに加えて、田原を狙ったと思える爆弾を、静代は抱くようにして死んだのである。

ドアが開いた。由利子たちが振り向くと、田原寿江が入って来たのだった。

「お母さん……」

と、貴子が歩み寄って、母親の胸に顔を埋めた。

泣いていたのではない。ただ——十六歳の少女にとって、一人で受け止めるにはあまりに残酷な出来事だったのだ。

寿江は、娘をそっと抱いてやりながら、厳しい表情で、布に覆われた三宅静代の遺体を見つめていた。

やがて、寿江は静かに娘を離すと、遺体の方へ、歩み寄り、顔を隠していた布をそっと取り去った。

田原が、妻に気付いた。

「お前……」

寿江は、じっと三宅静代の穏やかな死に顔を見ていたが、やがて、深々と頭を下げると、

「ありがとう」

と、声をかけた。

まるで、生きて、そこに横になっている人間に呼びかけるように。

「ありがとう、静代さん」

と、くり返した。「夫を守ってくれて……」

田原が声を押し殺して泣き出す。

由利子たちも、キュッと唇をかみしめていたが、それでも涙は頰を伝って落ちて行った……。

香子の車の中で、しばらくは誰も口をきかなかった。

口を開いたのは、旭子だった。

「でも……あの人、幸せだったのかなあ。とっても、いい顔してた」

と、独り言のように……。

「そうだろうね」

由利子が肯く。「愛する人のために死ぬ、か。——たぶん、彼女なりに幸せだったんだよ。はた目にはどう見えても」

貴子は両親と一緒に自宅へ戻っていた。

香子が、じっと口を固く閉じたまま、考え込んでいる。——ただごとではない、という気配が、香子の周囲に漂っていて、由利子も旭子も声をかけられなかった。

車は香子の家へ向かっていた。

「お嬢様」

と、運転手が声を出した時は、由利子も旭子も、一瞬ドキッとしたものである。

「——え?」

ちょっと間を置いて、香子は我に返ったようだ。

「直接お宅でよろしいでしょうか」

「構わないわよ。どうして?」

「しばらくドライブしていた方がよろしいように思いましたので」

香子は、ちょっと微笑んだ。

「気をつかってくれるわね。――もう大丈夫。お姉様、お宅へお帰りでしたら、お送りいたしますが」

「いいわよ、電車の方が早い。駅の所で降ろして」

由利子は、いつもの香子の話し方に少しホッとした。

「私も一緒に降りるわ」

と、旭子が言った。「でも、香子、何を考えてたの?」

「ある言葉を思い出しておりました」

「どんな言葉?」

「罪を憎んで、人を憎まず、という言葉をです」

と、香子は言った――。

「香子、どういう意味で言ったんだろうね?」

と、旭子が言った。

「さあね」

由利子は肩をすくめて、「深く考えても、分からないものは分からない。無理よ、香子の頭の中を覗こう、ったって」

「ともかく——三宅静代の死をむだにしないことね」

「それは同感」

由利子は肯いた。「香子も、きっとそれを考えてたのよ」

——電車の中では、二人の話は途切れがちだった。

由利子は、旭子と別れて家へと急いだ。

特別の用事があったというわけではない。もっと個人的、かつ散文的な事情——つまり、お腹が空いていたのである。

どんなにショックで悲しいことに出くわしても、生きて、元気でいる人間はお腹が空く。

「あ、そうか」

家の近くまで来て、由利子は母が今日、出かけて遅くなると言っていたことを、思い出した。

朝、出がけに、

「何か適当に食べてね」

と、言われていた。

「そういうセリフは、食べる物がある場合に、言ってほしい」

と、由利子は呟いた。

母は、食べ物の古いのには神経質で、ほとんど何も取っておかない。突然留守にされると、冷蔵庫の中は空っぽ同然ということも、珍しくないのである。

真由子もお腹空かして帰って来るだろうし、しょうがない。その辺に出て何か食べるか。それともお弁当でも買って来るか……。

香子の家で、フルコースのディナーをごちそうになるのと比べると、大分差があるが、それでバランスが取れている、とも言えるかもしれない。

「――ただいま。――あれ?」

ドアを開けて、中へ入ると、由利子は戸惑った。

玄関の鍵はあいていた。そして家の中は真っ暗。

どうしたんだろう?

手さぐりで、玄関の明かりを点けた由利子は、真由子の靴が引っくり返っているのを見て、顔をしかめた。

「だらしないんだから。――真由子! ――真由子!」

と、上がり込む。

おかしいな、と首をかしげた。

真由子も、几帳面とは言えない性格だが、用心深いたちで、その点、姉の由利子より慎重派とも言えた。

玄関の鍵をかけ忘れる、というのは、真由子らしくもないことである。しかも、家の中にはいないらしい……。

不安になって、由利子が居間の明かりを点けると、電話の方へ――。行きかけて、居間のテーブルに置かれた手紙を見付けた。

金釘流の字で、

〈妹は預かった。言う通りにしないと、無事には帰れないと思え〉

――由利子の顔から血の気がひいた。

「真由子！」

電話が鳴り出し、飛び上がるほどびっくりする。急いで受話器を取る。

「はい！　――もしもし？」

「ちゃんと名前言わなきゃ、お姉ちゃん」

「真由子！　あんた――」

「あのね、ちょっと誘拐されちゃった」

「何、呑気(のんき)なこと言ってるの！」

「犯人と代わるね」

冗談めかして、のんびりしゃべってはいるが、さすがに声はこわばっている。

「矢吹由利子か」

と、低い声の男が出た。「よく聞きな」

「妹に指一本でも触れてごらん！　ただじゃおかないよ！　地球上のどこへ逃げても、追いかけて、見付け出して八つ裂きにしてやるからね！　他の星に逃げても、NASAに頼んで、スペースシャトルで追いかけるからね！　分かった！」

由利子は、ギャーギャーわめくように叫んだ。

たぶん、誘拐犯に向かって、こんなに強烈な口をきいた人間はいないだろう。

少し間があってから、

「何てでかい声を出す奴なんだ」

と、相手は呆れたように言った。「いばるんじゃねえ。こっちがいばる側だぞ」

「分かったわよ」

と、由利子はふくれっつらになって、「何がほしいの？　うちはお金持ちじゃないわよ」

「分かってる」

「あ、そう」

父親が聞いたら、がっかりするかもしれない、と思った。

「じゃ、何なの、そっちの望みは？」

「お前の友人の田原貴子だ」

「え？」

「田原貴子をこっそりと呼び出せ、明日の夜の十二時に、K公園の噴水の前だ」

「何ですって？」

「お前、耳が遠いのか？」

「聞こえたわよ。聞こえたけど……どうして貴子を――」

「そんなことは、お前の知ったことじゃないぜ」

と、向こうは言った。「お前が来る必要はないんだ。ただ、大切な話があるといって、K公園に呼び出せばいい。十二時十分には、妹を返してやる」

「でも……」

「妹が大切じゃないのか」

「もちろん大切よ！」

「じゃ、言われた通りにしろ。――いいか、念のために言っとく。お前の仲間たちにこのことをしゃべったりしたら、妹は、無事に戻らないと思え」

「待って！」

「このことは誰にも、、、言うな。分かったか」

――痛いような沈黙。

由利子の喉はカラカラにかわいていた。

「分かったわ」

ついに、由利子は言った。「妹に何もしないで」

「分かりゃいい。——忘れるな。明日の夜、十二時に、K公園の噴水前だ。田原貴子にも、絶対秘密にしろと念を押しとけ」

電話は切れた。

由利子は——呆然として受話器を握って立っていた。

真由子までが！　何て連中だ！

「——ただいま」

「お母さん……」

突然声がして、由利子は飛び上がりそうになった。

「早く帰れたのよ。電話だったの？」

由利子は、まだ受話器を持ったままだったのである。

「うん……」

と、受話器を置く。

「何か食べた？　真由子も帰ってるんでしょ？」

由利子は、少しためらってから、

「真由子——友だちの家に泊まるって、出かけたよ」

と、言った。

「あら。そうなの？　——いやね。それじゃ何かお菓子でも持たせたのに」

と、母は言って、「ともかく、荷物を置いて来るわ」

と、奥へ入って行く。

由利子は息をついた。——母にまで嘘をついてしまった。

でも……真由子がこんな目に遭ったのも、私のせいだ！　何としても、私が助けるんだ！

由利子は、そう決心したものの、明日、貴子を一人でK公園へやって、どうなるのかを考えると、頭をかかえるのだった……。

# 22 追われる男

「だからね」

と、向井千恵子が言った。「あんたに、ちょっと手を抜いてほしいわけ」

由利子は、少し間をあけた。

「先輩――そんなことしたら……。すぐ分かっちゃいます」

と、できるだけ遠慮がちな声で言う。

「大丈夫。何といっても、うちのチームじゃ、あんたが一番の戦力なんだからね。サーブとか、肝心の時にしくじってくれりゃ、N学園が勝つよ」

と、向井千恵子は堂々の「名演」。

「先輩のお言葉ですけど……そんなこと、とても――」

「心配ない、って。N学園とうちじゃ、実力伯仲してるから、どっちが勝ってもおかしくはないわよ」

「え?」

向井千恵子はそう言ってから、「それにさ、ただでやってくれとは、言ってないわ」

「いいこづかいになるくらいは、あんたにも回すから。――いいでしょ?」

妙に芝居がかってはいないので、却って不自然ではない。

由利子は、向井千恵子が、これほど巧みに「演じて」くれるとは思っていなかったので、すっかり舌を巻いてしまった。

「ね、どう?」

すぐに、うんと言ってしまっては、おかしなものだろう。——由利子はしばらく間をあけて、

「じゃあ……一度だけ。先輩の頼みですものね」

と、渋々という口調。

「話が分かるじゃない! ちゃんと後で払うからさ」

「そんなのいりません。お金でやったなんて思いたくないし……。先輩のためです」

由利子は切り口上で言って、「お話、それだけですか」

「そうよ」

「じゃ、失礼します」

「待って」

と、向井千恵子が言って、「何か飲もうよ。おごるから。——ね?」

ポンと肩を叩く。

二人は、会議室を出た。

少し歩いてから、

「——もう大丈夫？」

と、向井千恵子は言った。

「ええ」

フーッと息をつくと、

「バレーの試合より百倍も疲れるね」

と、向井千恵子は笑った。

「でも、凄く自然で上手でした」

「そうかなあ」

と、照れたように言って、「じゃ、また成果を聞かせてよ」

「はい。——すみませんでした」

向井千恵子と別れて、教室へと戻りながら、由利子の足取りは重かった。——もちろん真由子のことを考えるからである。

田原貴子には、まだ何も話していない。

あの電話をかけて来たのは、貴子の母、田原寿江に乱暴しようとしたのと同じ連中か——少なくとも同じ人間に雇われた男だろう。

母親を狙って歯が立たなかったので、今度は娘を、というわけか。——貴子が、あの連中の手に落ちて、無事に戻れるわけがない。

といって、真由子を見殺しにはできない。言われた通りにしないと、真由子がどんな扱いを受けることになるか……。

「——由利子、どうしたの？」

「え？」

足を止め、気が付くと、香子と旭子が目の前に立っている。

「しくじったの？」

と、旭子が訊く。

「——ううん、大成功。少なくとも、向井さんは名演技だった。まず見破られてないと思うよ」

「それにしちゃ元気ないじゃない」

「そう？　私だって……たまにゃ、元気なくなることぐらいあるわよ」

と、由利子は笑顔を作って見せた。「——貴子、見た？」

「貴子？　さあ……」

旭子は香子を見て、「香子、見かけた？」

「いいえ」

香子は穏やかに言った。「今日はおいでになっていませんわ」

由利子は、面食らって、

「来てない？」

「先ほど、職員室へ参りましたら、本日の欠席者のところに名前が……」

由利子は愕然とした。――休み？　冗談じゃないよ！

「ああ、そうか」

と、旭子が肯いた。「あの三宅静代のことでしょ。そんな話してたよ、先生が」

「お通夜かもしれません」

と、香子が言った。「問い合わせてみましょうか？」

「いや……。いいの」

由利子は、さっさと教室の方へと歩き出した。

まさか休みとは！　――考えもしなかった！

今夜十二時……。貴子と話ができなかったら、どうしよう？

あんな連中に説明して、待ってくれと頼むなんて、由利子のプライドが承知しない。といって、真由子を押えられているという弱味があるのだ。

――三宅静代の通夜に行って、そこで貴子と話すしかない。しかし、香子たちと一緒には行きたくなかった。

香子にかかったら、何かあることぐらい、簡単に見抜かれてしまうだろう。

「――矢吹」

と、呼び止められた。

教務主任の駒井先生である。

「はい」

「お前、今夜、あの三宅静代って女性の通夜に出るのか？」

一瞬ドキッとしたが、

「出たいと思ってるんです。場所、分かりますか？」

「うん。田原寿江さんもみえるだろう。ちょっと俺も話があるんだ。何なら、一緒に行くか」

「はい」

由利子は少しホッとした。これで、香子たちと別れて、三宅静代のお通夜に行く口実ができた。

しかし——向こうで、貴子がいたとして、どう話すのか？

貴子が何も知らずに、あの連中に捕まりに行くのを、黙って見ているのか……。

まだ時間がある。

由利子は、そう自分に言い聞かせた。

まだ、時間はあるわ……。

通夜の席の受付に、田原貴子は立っていた。

黒のワンピースが、貴子のように端整な顔立ちにはよく合う。

「あ、由利子さん」

「ご苦労様」

と、由利子は言った。「駒井先生にくっついて来たの」

「こちらじゃ、身寄りがない人だったんで、受付をやれと母が——。でも、こんな形でなく、お役に立ちたかったわ」

と、貴子は言った。「あ、記名して下さいね」

「うん……」

由利子は、サインペンで名前を書いた。——三宅静代は、命を捨てて、田原を守ったのだ。

命を捨てて……。

「ね、貴子」

「何ですか?」

貴子の顔をしばらく眺めて、由利子は、

「何でもない」

と、言った。「お母さんは?」

「母は中に。——ご焼香して行くんでしょう?」

「うん」

と、由利子は肯いた。

——三宅静代の遺影が正面から由利子を見ている。

由利子にはできなかった。貴子を誘い出すなんてことは、とても、とても……。

三宅静代のことを考えると、とても、できなかった。

私が——自分自身の力で、何とかしなくては。

由利子は、三宅静代に向かって手を合わせながら、真由子を危ない立場に立たせなくてはならないことを、心の中で詫びていた。


十一時三十分。

由利子は、K公園の近くへ来ていた。

妙な車や、人間は見えないか、ゆっくりと公園の近くを歩いてみる。

真由子は、たぶんここへ連れて来られてはいないだろう。仲間が別の場所で待っていて、連絡があれば真由子を返すという手はずになっているのに違いない。

自分一人で、真由子を助け出せるだろうか？

——珍しく（？）、由利子は自信がなかった。

車の音が……。由利子の後をついて来る。

足を止めると、車も停まった。

由利子が大きく息を吸い込んで、パッと振り向いた。

ベンツのドアが開いて、

「お散歩ですか、お姉様」

と、香子が顔を出したのである……。

「──香子！」

「お乗り下さい。お話をうかがいたいと思います」

「うん……」

由利子はベンツに乗った。

事情を説明するのに、十分とはかからなかった。

「卑怯なやり方です」

香子の頰が、珍しく紅潮している。怒っているのだ。

「香子にもしゃべるな、と言われてるんだ」

「お姉様」

と、香子は言った。「私たちは、もう子供ではありませんし、自分たちも危険を承知で、事件に首を突っ込んでいます。でも、真由子さんは──」

「そうなんだよね。あの子は何も関係ないんだから……」

「たとえ私たちがどうなっても、真由子さんを救うのです」

香子の言葉で、由利子は胸が熱くなった。

「――十二時ですね」

と、香子はダッシュボードの時計を見て、「あと十分余りですわ」

「誰か来るだろうけど……。どうしたらいい？」

「その、やって来た人間に訊くしかありませんね」

「素直にしゃべるとは思えないよ」

「私も、素直には諦めません」

と、香子は言った。


街灯の下に、黒い男の影が見えた。

足音に気付くと、タバコを投げ捨てた。

「火の用心です」

と、その少女が言った。

「何だ？」

「火のついたタバコを投げ捨てるのは、危険かと存じます」

もちろん香子である。

「貴様！　どうなるか分かってるな！」

男はパッと駆け出そうとした。

香子の手から、シュッと音をたてて、銀色の光が飛んだ。

「ワッ！」

男が右足を押えて、よろけた。香子が投げた剣が、男の右足をかすめて切ったのである。

「畜生！」

男は、片足を引きずりながら、公園から外へ出た。「見てやがれ！」

カッと目の前からライトが男を照らした。車が——ベンツが、ぐんぐんと迫って来る。

「何だ、おい！」

男はあわてて逃げ出した。ベンツは、男を追いかけて行く。

「——香子」

由利子が駆けて来ると、「あいつは？」

「今、うちの運転手が遊んでおります」

と、香子は言った。

——なるほど、夜の道を、ベンツに追い回されて、男が必死で逃げている。

片足をけがしているので、早く走れない。ベンツは、男をじわじわと追い詰める速度で、しかし決して急がずに追い続けている。

「参りましょう」

と、香子が由利子を促した。

「——助けてくれ!」

男が悲鳴を上げた。「やめてくれ!」

汗が光っている。歩道へ上がっても、ベンツは歩道へ片輪をのり上げて追ってくるのだ。

男が転んだ。ベンツがそのまま——。

「ワーッ!」

と、男が頭をかかえてわめいた。

ベンツは、男から数センチの場所で、停まった。

「——さて」

香子は、剣をヒュッと一振りすると、「真由子さんがどこにいるか、話していただきましょうか」

「おい……。車を……こいつをどけてくれ!」

と、男がかすれ声で言った。

「お話しいただいてからです」

男は、路面にへたり込んで、もう動けない様子だ。

「勘弁してくれ……。俺は何も——」

ベンツがエンジン音をたてて、ぐっとバックしたと思うと、男に向かって、グォーッという勢いで突っ込んで行った……。

# 23 注射

私も、いよいよこれまでか……。

こんな思いを、七十か八十の年寄りでなく、うら若き少女が抱くのは、やはり間違っている。

しかし、真由子としては、そう思わざるを得ない立場に置かれていたのである。

「十二時十五分だ」

縛り上げられている真由子を楽しげに眺めながら、その男は言った。

白のスーツにサングラス。——いつもの真由子なら、

「ダサい！」

と、一言、言ってやるところだが、今はやはりそんな気分じゃない。

何しろ縛られて椅子に座らされ、この男と二人きり。そばにはベッドもある、となれば……。

真由子とて、小さな子供じゃない。自分がどうなるか見当がつく。さっきから、男はサングラス越しに、いやらしい目つきで真由子を眺めては、ニヤニヤしているのだから。

「何かあった、ってことだな」

と、男は言った。「十二時までに、お前の姉さんが、例の娘を連れて来なかった。もし、来てりゃ、ここへ電話が入るんだ。今まで電話がないってことは……」

電話が鳴り出した。男は一瞬、がっかりした様子で、

「間違い電話じゃねえのか」

と、ブツクサ言いつつ、受話器を上げた。

――ここは、都心から大分離れた、郊外のモーテル。一戸ずつ、別棟になっていて、少々声を上げても、誰にも聞こえないだろう。

「――はあ。――いや、何も連絡がないんで。――そうですか！　分かりました！」

男がサングラスを外した。びっくりするくらい小さな目が、じかに真由子を見つめている。

サングラスをかけてるわけが分かった、と真由子は思った。いやに可愛い目をしているのだ。

あれじゃ凄んでも迫力がない。

「――そりゃもう。――こんぐらいのガキってのが趣味でしてね、俺は。へへへ」

真由子の顔から血の気がひく。

男は電話を切ると、立ち上がって、上衣を脱いだ。

「諦めな。何の遠慮もいらねえってよ。――朝まで時間はたっぷりあるぜ」

近付いて来ると、男は真由子の頬を指先でそっとなでた。真由子は身震いした。

「怖がるこたあないさ。いい気持ちにさせてやる。――薬でな」

男は、引出しを開けると、銀色のケースを取り出した。蓋を開けると、中に入っているのは注射器……。

麻薬だ！　——真由子はゾッとした。

あんなもの射たれて、何も分からなくなるより、殺されちゃった方がましだ！

「こいつを射たれるとな、いい気分になるんだぜ」

男が、びんの蓋を開けて、中の液体を注射器に吸い上げる。「そしたら、俺とゆっくり楽しもうじゃねえか」

「やめて」

体の震えを必死でこらえて、真由子は言った。「殺してよ、そんなことするぐらいなら」

「ほう。勇ましい奴だな」

と、男は注射器を手に近付いて来た。「強がってられるのも今の内、さ……」

「いや！　いやだってば！」

真由子は必死で身悶えした。

「静かにしろ！」

男が左手で真由子を殴りつけた。ジーン、と頭がしびれて、気が遠くなる。

お姉ちゃん……。恨まないよ……。恨んだりしないからね……。

真由子は、左腕にチクッと針を刺される痛みを感じた。

「——手間をとらせやがって」

空になった注射器を、男はケースへ戻した。

真由子はぐったりと意識を失っている様子だ。

「さて……。仕度するか」

男が真由子の縄をとくと、よいしょ、とかかえ上げ、ベッドに投げ出す。

「へへ……。薬が回るまでの間に、シャワーでも浴びるか」

男は口笛を吹きながら、バスルームへと入って行った。

裸になって（当然のことながら）、シャワーを浴び、時々、ぐっと腕を曲げて力こぶを作ったりしている。

お腹の方は、力を入れなくても出ている〔傍点：いる〕ので、どう見ても見映えは良くなかったのだが、単細胞なのだろう、一人でニヤついている。

「さて……。そろそろ出るか」

と、呟〔つぶや〕いていると――。

シャワーカーテンが少し動いて、ゴトン、と何かが足下へ投げ込まれる。

何だ？　シャワーでよく見えないが……。

ドライヤーだ。どうしてこんな物が――。男は、気が付いた。そのドライヤーは、コードがカーテンの向こうへとのびている。

ということは――。男がシャワーコックをひねろうと手を伸ばした時、ドライヤーに電気が流れた。

男は、感電して引っくり返り、気を失ってしまったのだ……。

「ここだ！」

由利子が、ベンツの窓から顔を出して、叫んだ。「道を間違えたりして！　こいつ！」

と、助手席で縛り上げられて青くなっている男をポカッとやった。

「お姉様、急いで。手遅れにならない内に」

香子がベンツから飛び出す。

「どの部屋？」

「それです。――ちょっと、車を」

運転手が肯くと、ベンツの鼻先をドアへ向けて、一気にぶち当たろうと――。

キーッ、とブレーキの音がした。ドアが開いて、中から出て来たのは……。

「真由子！」

「お姉ちゃん！」

二人は駆け寄り、ひしと抱き合った。

「あんた……大丈夫？」

「うん……。お姉ちゃん、遅いじゃないか」

「ごめんね」

「でも——やっつけた！」

と、真由子が自慢げに言った。

「え？」

——三人は部屋の中へ入った。

例の男が、バスルームの中で裸のまま、のびている。

「見苦しいわね」

と、由利子は目をそらした。

「片付けますか。生ごみに出して」

香子は、バスタオルを男の上にかけ、ついでにドライヤーのコードで、男の手を縛り上げた。

「——何ですって？」

真由子の話を聞いて、由利子が仰天している。「注射された？」

「うん。でも何ともないの。——私って、麻薬に強いのかなあ」

香子が、注射器の入ったケースの中から、びんを取り出し、残った液をすかして見ていたが、

「分析の必要はございますが」

と、言った。「たぶん、これはただの水でしょう」

「水？」

真由子が呆れて、「あの男、間違えたのかしら」

「そうではないと存じます。おそらく、中身が入れかえられていたのでしょう」

「何ですって？　でも、誰がそんなことをしたの？」

「考え直して下さったのです」

香子は、満足げな表情で肯いた。「本当にすてきなことです」

何のことやら、さっぱり分からない真由子と由利子は、顔を見合わせた。

「で、香子、これからどうする？」

「真由子さんをお宅へお送りします」

と、香子は大きく息をついてから、言った。「そして、二人で参らねばならない所がございます」

「ＯＫ。――じゃ、出かけよう」

由利子は真由子の肩を抱いて、「可愛い妹よ！」

「態度で示して」

「何が？」

「何かおごれ」

由利子はふき出してしまった。そして同時に――無事で良かった、と思うと、つい目頭が熱くなるのだった……。

## 24　姉と妹

畑中直子は、待っていた。

待つことには慣れているつもりだった。しかし、今はやはり苛立っていた。

じっとしていられない。つい、歩き回ってしまうのだ。

深夜。――いや、もう明け方に近い時間だ。校舎の中には、もちろん人影はない。

窓を開けると、畑中直子は表に目をやった。――何があったのだろう？

何か手違いが？　そんなはずはない！

でも……。それにしても遅すぎる。遅すぎる。

その時、足音が聞こえた。畑中直子の顔にホッとしたような微笑が広がった。

ここは校舎の四階である。足音は階段を、さして急ぐ様子もなく、上がって来る。

「――遅かったのね」

畑中直子は、足音がドアの前まで来ると、言った。「何かあったのかと思ったわ」

ドアが開いた。――畑中直子の顔から笑みが消えた。

「矢吹さん」

「今晩は、先生」

と、由利子は言った。

「どうしてここへ？」

「代理です。——向井さんの」

「向井さん？」

「向井千恵子。バレー部の部長……。尊敬する先輩でした」

由利子は、畑中直子の数メートル手前で足を止めた。「でも——思い止まってくれました」

「何の話？」

「私の妹が巻き込まれるのを、黙って見ていられなかったんです。——おかげで妹は無事でした」

畑中直子は、ゆっくりと息をつくと、

「分かっていたの？」

と、低い声で訊いた。

「盗聴マイクにわざと向井さんの声を入れてもらったのは、香子の考えです。あそこにはもう一つ、マイクが仕掛けてあったんですよ。それを通した向井さんの声を、河辺みゆきに聞かせました。学校へ火をつけろ、とそそのかした声とそっくりだ、と言いましたよ。普通、上級生が声をひそめて話すのを訊くことなんてありませんものね。——それを聞いて、向井さんも認めました」

「私を引っかけるつもり?」

畑中直子は、挑みかかるように言ったが、顔は青ざめていた。

「それに、田原貴子が、母親のマネージャーだった飯田の名前で出されたラブレターを学校へ持って来た時のことです。誰かが白い粉を貴子にかけて、手紙を奪って行きました。私、そのすぐ近くで、向井さんに会っています。床に落ちた粉の上には、上ばきの靴跡が残っていました。それが向井さんのものだったことも、この目で確かめました」

由利子はそう話して、ゆっくりと首を振った。「先生。——草場美里が落としたラブレターを拾ったのが先生だった、と分かった時、それから、偽の手紙が黒インクで書かれていたことも考えて、先生に疑いを持っていたんです。でも分からないのは……どうしてあんなに執念深く、田原さん一家を狙ったんですか?」

畑中直子は、ちょっと目を伏せた。——由利子は続けて、

「よほどのことだったんでしょうね。——あのマネージャーの飯田は殺されました。しかも、三宅静代さんまで……。田原さんを守って死にました。何があったんですか」

畑中直子は、窓の方へ歩み寄ると、もたれかかるようにして、立った。

「あなたたちには関係のないことよ」

と、畑中直子は言った。「ともかく、あなたたちが勝ったわけね」

「先生——」

「分かってるんでしょう？　私の狙いは田原さんたちだったってこと。——草場さんの場合は、手始めに実験してみたの。彼氏の手紙を拾ったのがきっかけで、それをコピーして、字を真似る練習をしたわ。草場さんは真に受けた。それで自信を持ったのよ」

「河辺さんは——」

「田原さんたちだけが狙いと思わせないために、誰かもう一人、犠牲になる子が必要だったの。でも、すべてあなたたちに邪魔されたわね」

畑中直子は肩をすくめた。そしていきなり窓を開けた。

「先生！」

と、由利子が叫んだ。「いけません！」

一瞬の出来事だった。——畑中直子の姿は、窓の向こうに消えていた。

由利子は駆け寄った。下を見下ろすと——。

「お姉様！」

下から、香子が大声で呼んだ。

「香子！　先生は？」

「気を失われてます。——けがはしていると思いますが、命は何とか……」

窓の下では、消防士が落下してくる人を受けとめる布を張って、待っていたのである。

由利子が、階段を駆け下りて、外へ出ると、香子がやって来た。

「——どう？」

「何とか、足の骨折ぐらいですんだようですわ」

と、香子は言った。「違う窓から落ちて来られたら、おしまいでした」

「危なかったね」

由利子は息をついた。「旭子は？」

「今、向井さんを……。あ、みえました」

パトカーが停まり、向井千恵子が降りて来た。そして、担架に乗せられている畑中直子を見て、サッと青ざめた。

「弘野さん……。畑中先生は……」

「気を失っておられるんです。けがはしていらっしゃいますけど、大丈夫。助かります」

向井千恵子は、息を吐き出した。

担架が運ばれて来る。——向井千恵子は、駆け寄ると、畑中直子の顔を覗き込んで、

「先生……。死んじゃいけない。——お姉さん」

と、呼びかけた……。

「私たち、腹違いの姉妹だったの」

と、向井千恵子は言った。「畑中先生は、父が若いころの恋人との間に作った子供で……。

私は、ずっと、そんな人がいることも知らなかった」

香子の屋敷である。——夜は明けて、明るくなっていた。

みんな徹夜していたが、少しも眠くなかった。由利子たち三人組と、田原親子もやって来ている。

「紅茶をどうぞ」

と、香子が言った。「眠気覚ましでもありますが、飲むと気分が落ちつきます。矛盾しているようでも、本当です。人間の愛情や、思いやりの言葉も同じです。一方を指した矢印は、その尾が正反対を指しているのですわ」

田原寿江は、向井千恵子に、話しかけた。

「私が——あなたのお姉さん——畑中直子さんに会ったことがあるって？」

「そうです。姉は、弟と二人で暮らしていたんです。弟の方は別の男の人の子で……。母親は姉が高校生の時、亡くなって、姉と弟、二人だけで身を寄せ合うようにして生活していたそうです」

「憶えていないわ……。どこだったのかしら」

と、田原寿江は首を振った。

「田原さんが、姉たちのいる町に講演に来られ、相談会が開かれたそうです。ちょうど弟が学校へ行かなくなり、悩んでいた姉は、あなたに相談に行きました。その時は色々親身になって話を聞いてくれた、と言っていました。ところが——姉が来たと知らずに、弟の方も、あなたに相談に行ったんです。姉より何人か後で、あなたと話した時、弟は、姉が自分のことで相談に来た、と聞いたんです」

田原寿江が青ざめた。

「何てこと……。絶対に口にしちゃいけないことなのに……」

「弟には、姉が自分を扱いかねてる、と思えたらしく、ショックだったんです。帰って姉と喧嘩になり、家を飛び出して——。結局、悪い仲間に入ったまま、姿を消してしまったんです。二年後に、警察から呼ばれた姉は、不良同士の喧嘩で刺されて死んだ弟と対面しました」

向井千恵子は、息をついた。「——今の話は、姉から聞いた通りです。もう一度、直接聞いてみて下さい」

「相談者のプライバシーを守るのは最低限の義務だわ。何と言われても仕方ないと思います」

と、田原寿江は言った。「きっと軽い気持ちで、『さっきお姉さんがみえたわよ』と話したんでしょうね。忘れてしまったけど……」

香子が進み出て言った。

「畑中先生は、初めから向井さんのことをご存知で、花園学園へ？」

「ええ。妹を見たい、という気持ちもあったでしょう。でも、そこに田原さんの娘までいるとは思わなかったんです」

向井千恵子は、淡々と話をしていた。「死んだ弟のことを思うにつけ、田原さん一家が幸せに暮らしているのが許せないという気になり……。仕返しを考えるようになったんだと思います」

「そうですね」

と、香子は肯いて、「ただ仕返しをするというより、田原さんの家庭を破壊するのが目的だった、と思えますね。動機から考えれば、肯けます」

「私は、両親がうまく行ってなくて、家が面白くなかったんです。――高二の時でした。盛り場をふらついてて、畑中先生に会ったんです。そして、私たちの係わり合いを教えられました。私、一人っ子だと思ってたから、嬉しくて……。もちろん姉のことは、父にも言いませんでした。でも、頼る人を求めてたんだと思います。私も。――姉のこと、大好きだったし、姉のためなら何でもやろう、って……」

向井千恵子は微笑んだ。「勉強も真面目にやるようになったし、バレー部のキャプテンにもなったし……。で、姉から大切な話がある、と言われたんです。田原さんがうちの学校へ講演に来る、というのでした。何か仕返しに、恥をかかせてやりたい、って……。私も、喜んで協力することにしたんです」

「スライドの入れかえとか?」

「ええ」

向井千恵子は肯いて、「でも——それだけだと思ってました。姉が、あんなことまでやるなんて」

深々と息をつくと、両手で顔を覆った。

香子と由利子は顔を見合わせた。

「——畑中先生が、麻薬に係わっていたことを初め、当人から伺わなければいけないことは沢山あります」

と、香子は言った。「でも、今日はもう、誰もが疲れていますわ。これで終わりにいたしましょう」

——誰もが無言で、立ち上がった。

香子のベンツで、由利子と旭子は自宅へ送ってもらうことになった。

「眠くなって来た……」

と、由利子はシートにもたれて、言った。

「どうなるのかね、畑中先生」

と、旭子が言った。

「人を殺してるし、簡単にはすまないでしょ」

「分かってるけど……。怖いなあ、人間って。何年も何十年も、一つのこと、恨み続けるってことができるんだね」

旭子は首を振って、「私にゃ無理だわ。飽きちゃう」

「それは私どもが、幸せな家庭に生まれ育っているからですわ」

と、香子が言った。「子供のころの記憶は、決して消えないものですし、人の生き方、ものの見方まで決めてしまいます」

「全くね」

と、由利子が腕組みをした。「そう考えると、怖いね、大人になるってことも」

「充分に考えた上で大人になりましょう。私ども三人は」

香子の言葉に、由利子と旭子は、一緒に肯いたのだった。

「ところで、さ」

と、旭子が言った。「お腹、空かない？」

――まだ大人になる心配をしなくてもいいのかもね、と由利子は思った。

# エピローグ

いくつになっても、お昼を食べながらのおしゃべりというのは楽しいものだ。

いや、もちろん、由利子たちはまだ高校二年生。——教室でお弁当を食べていると、

「先輩、これ、食べて下さい」

と、やって来たのは、田原貴子である。

「何？——へえ、煮物？　おいしそうじゃない」

由利子たち三人、早速いただくことにした。

「——いい味付けだ」

と、旭子がモグモグやりながら、「お母さんが作ったの？」

「私です」

「へえ」

「母はここんとこ、家にいなくて」

と、貴子は空いた椅子にかけた。「TVとかに出るのは当分やめて、小さな町を回ってるんです。直接、教育の悩みを聞くんだって言って」

「真面目なんだね」

と、由利子が言った。

「肩書で生きている人間は、ろくな人じゃありません。要は行動すること、続けること、今、何をしているか、です」

「香子も段々お説教くさくなって来た」

と、旭子がからかった。「役者は正にそうよ。働いてなきゃ、食ってけない」

田原貴子は、ちょっと声をひそめて、

「畑中先生のこと……何か聞いてます?」

と、言った。「母がとても気にしているんで……」

「先日、警察の人と話しました」

と、香子が答えて、「亡くなった弟さんのこととの係わりで、畑中先生はその筋の人と知り合ったようです。いつか仕返しをする時に、役に立つかもしれない、という気持ちで、ひそかに付き合っていたようですわ」

「でも、やっぱり、まともじゃなかったんだよ」

と、由利子が言った。「私と真由子のことでも、仲のいい姉妹を見ると、憎いという気持ちを抑え切れなかったらしい」

「闘いは長く続くでしょう」

と、香子が言った。

「闘い？」

「畑中先生の中での闘いです」

香子の言葉に、みんな黙って肯くのだった……。

「ほら、しっかり球を見て！」

と、由利子が怒鳴った。「土曜日は試合だよ！」

フウッと息をついていると、

「お姉様、タオルを」

と、香子がやって来る。

「サンキュー」

バレー部も今は事実上、由利子に任されてしまっている。二年生としては楽じゃない。

放課後の練習を、香子と旭子も見物して、無責任にやじったりしていたのだ。

汗を拭って、由利子は、

「はい！　次はサーブの練習！　並んで！　ボール集めて！」

と、コートへと駆けて行った。

「由利子もやりゃ、結構さまになるもんね」

と、旭子が感想を述べた。

「あら、田原さん」

香子がベンチから立ち上がる。——やって来たのは、田原悟志だった。

「やあ、その節はありがとう」

と、田原は言って、「貴子を見なかったかな?」

「さあ……。旭子さんは?」

「帰るところも見なかったわ」

「そうですか」

と、田原が心配そうに言った。

「何か……」

「いや、どうもここんとこ、よく出歩くんでね。もしかして、男が、と……」

香子が微笑んで、

「高校生ですもの。ボーイフレンドぐらいは当然では? 貴子さん、しっかりしてらっしゃるし、大丈夫ですわ」

「いや、まだ子供だから。特にあいつは、男を見る目がない。現にこの間も、妙ちきりんな頭をした奴とおしゃべりしてて……。ただの知り合いだと言っていたが、ありゃ怪しい」

香子と旭子は、笑い出しそうになるのを、何とかこらえていた。

ちょうどそこへ、

「——お父さん！」

と、貴子が鞄を手にやって来る。「何しに来たの？　仕事中でしょ？」

「俺が来ると、何かまずいことでもあるのか？」

「そうじゃないけど……。先輩、さよなら」

と、父親と一緒に歩き出す。「お父さん、変なこと言わなかった？」

「言うもんか！　ただ、お前が妙な男と付き合ってると——」

「それが『変なこと』なのよ！」

「何が変だ！　俺は母さんがいないから、お前のことをよく見張って——」

「子供じゃないんだから、私！」

——やり合いつつ歩いて行く父娘を見送って、

「ありゃ嫁にやるのも大変だ」

と、旭子が言った。

「あれが家庭というものです」

香子が肯いていると——ビュッとボールが飛んで来た。パッと受け止め、投げ返す。

「サンキュー！　——こら、どこ見て打ってんだ！」

由利子が一年生を怒鳴りつけている。

「あれ？」

旭子が目をパチクリさせて、「貴子、バレー部じゃない？」

「そうでしたわね。——やはり、お父様のご心配も、理由のないことではないのかも……」

香子は楽しげに言って、空に打ち上げられた白いボールを見上げたのだった。

一九九一年四月　学習研究社刊

# 解説

山前譲（推理小説研究家）

本書『黒いペンの悪魔』は、『灰の中の悪魔』『寝台車の悪魔』につづいての、高校二年生の仲良し三人組、矢吹由利子、桑田旭子、弘野香子が大活躍する学園ミステリーです。比較的最近シリーズ化されたにもかかわらず、もう三冊目とは、人気のほどがうかがわれます。

最初に中編「鏡の中の悪魔」に登場したときは高校一年生で、再登場した『灰の中の悪魔』で一年進級しました。しかし、それからはずっと二年生に足留めとなっています。勉強している場面がほとんどないので、彼女たちの成績がどの程度なのかはしかと分かりませんが、もちろん成績や素行が悪くて落第しているのではありません。人気シリーズ・キャラクターならではの宿命と言えます。もしかしたら彼女たちは、一年に一歳ずつ成長していく杉原爽香をうらやましく思っているかもしれません。

由利子たち三人が通っている花園学園は女子校で、文字どおりの花の園です。女子校ということは、当然女性が圧倒的に多いわけですから、シリーズ中では女性の活躍が目立ちます。そしてよくよく考えてみれば、赤川作品のなかのシリーズ物では、女性がメイン・キャラクターとなっているものがほとんどなのです。

ホームズ・片山晴美……………『三毛猫ホームズの推理』ほか
神代エリカ……………………『吸血鬼はお年ごろ』ほか
佐々本綾子・佐々本夕里子・佐々本珠美…『三姉妹探偵団1』ほか
鈴本芳子………………………『華麗なる探偵たち』ほか
塚川亜由美……………………『忙しい花嫁』ほか
星泉……………………………『セーラー服と機関銃』ほか
南条麗子・南条美知…………『ウェディングドレスはお待ちかね』ほか
西沢並子・木村政子…………『こちら、団地探偵局』ほか
丹野有紀子……………………『殺人よ、こんにちは』ほか
杉原爽香………………………『若草色のポシェット』ほか

もちろん、片山義太郎のように、こうしたシリーズでも男性のキャラクターは重要な役所を演じていますが、女性キャラクターがかなり個性的なだけに、彼女たちの華やかな活躍のほうに目を奪われてしまうのはしかたがありません。さらに、

永井夕子・宇野警部…………『幽霊列車』ほか
今野淳一&今野真弓…………『盗みは人のためならず』ほか
大谷努&香月弓江……………『マザコン刑事の事件簿』ほか

マリ&ポチ……………………『天使と悪魔』ほか

といった男女のコンビのシリーズもありますから、男性キャラクターがメインとなっているのは、警視庁捜査一課きっての迷惑警部である大貫だけのようです。

推理力はともかく、およそスマートとは言えない大貫警部が赤川キャラクターの男性陣の代表とは、同性としてなんとなく情けないものがあります。宇野警部や今野淳一がずいぶんと頑張ってくれていますから、まだ多少の救いはありますが、ともかく赤川作品での女性陣の活躍は男性陣を圧倒しています。

この女性中心の物語展開という傾向は、昭和五十一年のデビュー当初からのものです。一冊きりの連作でも、『殺人を呼んだ本』の松永三記子や『真夜中のオーディション』の戸張美里のように、女性がメインとなったものが多くなっています。

赤川作品でこれほどまでに女性が優遇（?）されているのは、作者が大変なフェミニストだからなのかもしれませんが、つらつら考えるに、どうやら赤川さんが女性ではなく男性だからのようです。エッセイが苦手なことを書いたあるエッセイのなかで、不得手な理由を赤川さんはこう語っています。

「小説は中学の三年生、十五歳のころから書いてるけど、エッセイは書いて来なかったからです。／『作り話』を書くのは慣れていても、『本当にあったこと』『考えていること』を書いたという経験がないのです」（小説とエッセイ）

つまり、小説は虚構の世界を描いた作り物です。現実とはできるだけ離れたところで、物語が展開されていきます。となれば、自分と同性の男性をなるべく避けて、主人公を女性に選ぶようになってしまうのではないでしょうか。デビュー作となった「幽霊列車」で、女性を名探偵にしたのも必然的と言えます。

ホームズがメス猫なのも、オス猫の生態を同性のよしみで赤川さんがよく知っていたからでした、というのはもちろん冗談ですが、少なくとも、中学高校の六年間を男子校で過ごした赤川さんが、作り物である小説の舞台に男子校を選ぶはずがないのは明白でしょう。自分が通ったことのない（もちろん通えるはずもありません！）女子校を舞台とするからこそ、作者である赤川さんは、ユニークな登場人物による自由な物語をそこに展開することができるのです。

その女子校が舞台となって繰り広げられるシリーズが、バレー部のエースで元気いっぱいの由利子、役者志望で好奇心旺盛な旭子、色白の美少女で社長令嬢の香子の、仲良し三人組が潑剌とした学園生活をおくっている〝悪魔シリーズ〟です。この『黒いペンの悪魔』も、前の二長編と同様に『高二V進学コース』に一年間連載され（平2・4〜3・3）、平成三年四月に学習研究社から新書版で刊行されたものです。

風邪で一週間休んでいるクラスメイトの草場美里の家へ、三人揃ってお見舞いに行ったところ、美里が首を吊っていたので大騒ぎとなります。大急ぎでロープを切ってなんとか彼女を助けた三人は、そこにあった美里あての手紙を読んで事情を知り憤慨します。ボーイフレンドから交際を断わられたのを悲観しての自殺だったのです。

　さっそくそのボーイフレンドを（多少手荒く）追及する三人でしたが、よく聞いてみると、黒のインクで書かれたその手紙は、偽物（にせもの）ということが判明します。誰がなんのためにそんな悪戯（いたずら）をしたのか。さらに、黒インクで書かれた偽手紙が原因の事件が起こって、謎はますます深まります。

　黒インクの邪悪な手紙をめぐって、犯人もそして動機も不明の事件がつづくこの長編は、前二作にもまして目まぐるしい波乱万丈の展開で、三人があわやという場面も多くなっています。そして、由利子の妹である真由子がお姉さん以上の活躍をみせていますから、今後のこのシリーズの楽しみがひとつ増えたようです。

　ところで、手紙が事件の鍵（かぎ）となる推理小説は、推理小説の父であるエドガー・アラン・ポーの短編「盗まれた手紙」（一八四五）以来、数えきれないくらいたくさん書かれています。『黒いペンの悪魔』のような偽手紙は比較的オーソドックスな用いられ方と言えますが、昨今流行のワープロではなく、黒のインクによる手書きの手紙というあたりが、今でも万年筆で原稿を書いている赤川さんらしいところではないでしょうか。

　小説の新人賞の応募にもずいぶんとワープロ原稿が増えていますし、もちろんプロの作家にもかなりワープロが普及しました。印刷所もフロッピィで原稿を貰ったほうが楽といいます。赤川さんも試験的にワープロを置いたことはあったのですが、結局はそれで小説を書くまでにはいたらなかったようです。

中学生の頃は鉛筆、高校生のときや会社員時代にはシャープペンシルを使っていた赤川さんですが、いろいろな賞に応募するようになって万年筆を使いはじめ、作家となってからはずっと万年筆でした。〃ただ、何となく、いつも万年筆を使い慣れてしまったので、原稿用紙に向かって、万年筆を手に取らないと、何だか小説を書くという気分になれない。それだけのことなのである〃(口先の尖った友)そうですが、ときには一時間に十枚以上原稿を書く、そしてほとんど直しのない原稿を書く赤川さんにしてみれば、ワープロは必要ないようです。

もっとも、一番の理由は、忙しくてワープロを練習する時間がないからでしょう(決して不器用だからではないことを赤川さんに代わって断言しておきます)。連続する事件の動機に意外性のある『黒いペンの悪魔』には、長年の万年筆愛用の思いがこめられているのかもしれません。

〃たとえば命がけでも、冒険している方が、勉強より楽しそうな三人だが、どうか読者のみなさんは、真似しないでください〃とは、初刊本での著者のことばですが、由利子、旭子、香子の仲良し三人組プラス真由子の面々は、次作『雪に消えた悪魔』でまたまた新たな事件に巻き込まれます。本人たちもけっこう楽しんでいるところがあるようですから、これからもどんどん未知なる大事件に遭遇してもらいましょう。

光文社文庫

長編ユーモア・ミステリー

# 黒いペンの悪魔

著者　赤川次郎（あかがわじろう）

1992年7月20日　初版1刷発行
1997年5月15日　17刷発行

発行者　森元順司
印刷　凸版印刷
製本　凸版印刷

発行所　株式会社　光文社
〒112-11　東京都文京区音羽1-16-6
電話　(03)5395-8149　編集部
8113　販売部
8125　業務部
振替　00160-3-115347



ISBN4-334-71543-5　Printed in Japan

**お願い**　光文社文庫をお読みになって、いかがでございましたか。「読後の感想」を編集部あてに、ぜひお送りください。

　このほか光文社文庫では、どんな本をお読みになりましたか。これから、どういう本をご希望ですか。

どの本も、誤植がないようつとめていますが、もしお気づきの点がございましたら、お教えください。ご職業、ご年齢などもお書きそえいただければ幸いです。

光文社文庫編集部

光文社文庫　目録

光文社文庫　目録

## 光文社文庫　目録

## 光文社文庫　目録

折原一　「白鳥」の殺人
折原一　蜃気楼の殺人
勝目梓　暗黒の狩人
勝目梓　血の狩人
勝目梓　地獄の狩人
勝目梓　修羅の狩人
勝目梓　密室の狩人
勝目梓　処刑のライセンス
勝目梓　鬼畜の宴
勝目梓　コードネームは紅い薔薇
勝目梓　クラクションは情事の合図
勝目梓　真夜中の使者
勝目梓　悪党図鑑
勝目梓　闇の秘祭
勝目梓　夜の迷宮（ラビリンス）
勝目梓　悪女は午前二時に眠る
勝目梓　霧の殺意
勝目梓　鬼影

---

勝目梓　鬼聲
勝目梓　暗黒の鎖
勝目梓　白昼の処刑
勝目梓　髑髏を抱け
勝目梓　イヴたちの神話
勝目梓　消えた女
勝目梓　悪夢の交わり
勝目梓　狂悦の絆
勝目梓　愉悦の扉
勝目梓　破滅の天使
勝目梓　悪夢の秘蹟
勝目梓　罠
勝目梓　鬼刃
門田泰明　黒豹撃戦
門田泰明　黒豹狙撃
門田泰明　帝王コブラ
門田泰明　黒豹叛撃
門田泰明　帝王コブラ2

---

門田泰明　黒豹伝説
門田泰明　吼える銀狼
門田泰明　黒豹ゴリラ
門田泰明　黒豹皆殺し
門田泰明　黒豹列島
門田泰明　皇帝陛下の黒豹
門田泰明　黒豹必殺
門田泰明　さらば黒豹
門田泰明　黒豹キルガン
門田泰明　黒豹スペース・コンバット（上・中・下）
門田泰明　黒豹夢想剣
門田泰明　黒豹忍（しのび）殺し
門田泰明　黒豹ダブルダウン（全7巻）
門田泰明　黒豹ラッシュダンシング1
門田泰明　黒豹ラッシュダンシング2
門田泰明　黒豹ラッシュダンシング3
門田泰明　黒豹作家のフットワーク
門田泰明　白い密室